S0-AEO-579

Essais sur l'histoire de la mort en Occident

du Moyen Age à nos jours

Du même auteur

Les Traditions sociales
dans les pays de France
Nouvelle France, 1943

Histoire des populations françaises
et de leurs attitudes devant la vie
depuis le XVIIIe siècle
Seuil, coll. «Points Histoire», 1971

Le Temps de l'Histoire
éd. du Rocher, 1954

L'Enfant et la Vie familiale
sous l'Ancien Régime
Plon, 1960
Seuil, coll. «UH», 1973
éd. remaniée, coll. «Points Histoire», 1975

Western Attitudes towards death
The Johns Hopkins University Press
Baltimore, 1974

Essai sur l'histoire de la mort en Occident
du Moyen Age à nos jours
Seuil, 1975

L'Homme devant la mort
Seuil, coll. «UH», 1977

Un historien du dimanche
Seuil, 1980

Images de l'homme devant la mort
Seuil, livre album, 1983

Philippe Ariès

Essais sur l'histoire de la mort en Occident

du Moyen Age à nos jours

Éditions du Seuil

En couverture :
H. Baldung-Grien, *La Mort et la Jeune Fille*.
Photo Giraudon.

ISBN 2-02-004736-5

A la mémoire de mon frère Georges
A nos morts, repoussés dans l'oubli

Préface
Histoire d'un livre qui n'en finit pas

Sans doute semble-t-il insolite de publier les conclusions d'un livre avant le livre lui-même! C'est pourtant à quoi me condamnent les pièges d'une double vie où l'historien doit composer avec d'autres obligations.

*Les quatre conférences de Johns Hopkins University, admirablement traduites par Patricia Ranum, étaient destinées au public américain. Quand elles parurent en anglais en 1974, je croyais bien toucher au but et mettre le point final à l'ouvrage sur les attitudes devant la mort, depuis longtemps préparé, dont la rédaction était déjà bien avancée et le plan de masse terminé. Hélas! c'était vendre la peau de l'ours et oublier les contraintes d'une carrière devenue soudain plus dévoreuse. Il faut en convenir : le jour du point final n'est pas encore arrivé *.*

Et cependant le sujet que j'avais abordé, il y a une quinzaine d'années, dans l'indifférence générale, agite désormais l'opinion, envahit livres et périodiques, émissions de radio ou de télévision. Aussi n'ai-je pas résisté à la tentation de participer au débat sans attendre plus longtemps. C'est pourquoi je présente au public français les thèses que je soutiendrai bientôt avec plus d'arguments, mais qui ne seront pas modifiées.

L'origine de ce petit livre est fortuite. Orest Ranum, professeur à Johns Hopkins University, bien connu des « dix-septiémistes » français pour ses études sur Richelieu et sur Paris,

* *L'Homme devant la mort*, achevé, est publié aux Éditions du Seuil au moment même où nous reprenons dans « Points Histoire » ces *Essais... (N.d.É).*

avait demandé à l'auteur ancien du Temps de l'Histoire *un exposé sur histoire et conscience nationale, thème favori de ses recherches actuelles. Je lui ai répondu en lui proposant à la place le seul sujet que je pouvais traiter, tant il m'absorbait entièrement. Il accepta. Ce fut à la fois l'origine d'un livre et d'une amitié.*

Mais la préparation de ces conférences n'a pas été un épisode en marge de mon travail. Elle m'a obligé à faire un effort de synthèse, à dégager les lignes fortes, les grands volumes d'une structure dont la lente, mais impatiente édification au cours des ans me voilait l'unité et la cohérence. C'est à la fin de ces quatre conférences que j'ai pris pour la première fois une vue d'ensemble de ce que je ressentais et voulais dire [1].

On pourra s'étonner qu'il fallut tant de temps pour en arriver là : quinze ans de recherches et de méditations sur les attitudes devant la mort dans nos cultures chrétiennes occidentales! La lenteur de ma progression, il ne faut pas l'attribuer seulement aux obstacles matériels, au manque de temps, aux lassitudes devant l'immensité de la tâche. Il y a une autre raison, plus profonde, qui tient à la nature métaphysique de la mort : le champ de ma recherche reculait quand je croyais en toucher les limites, et j'étais chaque fois repoussé plus loin, en amont et en aval de mon point de départ. Voilà qui mérite quelque explication.

Mon premier dessein était modeste et borné. Je sortais d'une longue étude sur le sentiment de famille, où je m'étais aperçu que ce sentiment qu'on disait très ancien et plutôt menacé par la modernité était en réalité récent et lié à une étape décisive de cette modernité. Je me demandai donc s'il ne fallait pas généraliser, si nous n'avions pas gardé encore, au XIXe *siècle et au début du* XXe, *l'habitude d'attribuer des origines lointaines à des phénomènes collectifs et mentaux en réalité très nouveaux,*

1. Éd. originale, *Western Attitudes toward Death : From the Middle Ages to the Present*, Baltimore et Londres, The Johns Hopkins University Press, 1974.

ce qui reviendrait à reconnaître à cette époque de progrès scientifique la capacité de créer des mythes.

J'ai eu alors l'idée d'étudier les coutumes funéraires contemporaines, pour voir si leur histoire confirmait mon hypothèse.

Je m'étais déjà intéressé aux attitudes devant la mort, dans mon Histoire des populations françaises*; j'étais d'autre part frappé par l'importance, dans la sensibilité contemporaine, celle des années 1950-1960, de la visite au cimetière, de la piété pour les morts, de la vénération des tombeaux. J'étais impressionné, à chaque retour de novembre, par les courants migratoires qui amenaient aux cimetières des villes comme des campagnes des flots de pèlerins. Je me suis demandé d'où venait cette piété. Venait-elle du fond des âges? Était-elle la suite ininterrompue des religions funéraires de l'antiquité païenne? Quelque chose dans le style me suggérait que cette continuité n'était pas certaine et que cela valait la peine de s'en assurer. Tel fut le point de départ d'une aventure dont je ne soupçonnais pas les risques; je n'imaginais pas jusqu'où elle devait me conduire.*

Le problème ainsi posé, j'ai orienté mes recherches vers l'histoire des grands cimetières urbains : la destruction des Innocents, la création du Père-Lachaise, les controverses sur le déplacement des cimetières à la fin du XVIIIe *siècle...*

Pour comprendre le sens de ces controverses et des sentiments qu'elles exprimaient, il fallait les situer dans une série. Je disposais bien d'un terminus ad quem, *les observations que j'avais pu faire moi-même sur le pèlerinage au cimetière aujourd'hui. Mais je devais reconstituer un* terminus a quo : *comment enterrait-on avant les grandes décisions qui déterminent encore aujourd'hui l'esprit de notre législation des cimetières. Une enquête rapide me fit découvrir l'ancienne pratique funéraire si différente de la nôtre, l'exiguïté et l'anonymat des sépultures, l'entassement des corps, le réemploi des fosses, l'entassement des os dans les charniers, tous signes que j'interprétai comme marques d'indifférence à l'égard des corps. Je pouvais désormais donner une réponse au problème posé : les cultes funéraires de l'Antiquité, même s'il en restait quelques traces dans le folklore, avaient certainement disparu. Le christianisme s'était débarrassé des corps en les abandonnant à l'Eglise où ils étaient oubliés. C'est seulement à la fin du* XVIIIe *siècle qu'une sensibilité nouvelle n'a plus toléré l'indifférence traditionnelle et qu'une piété a été inventée, si populaire, si répandue à l'époque romantique qu'on la crut immémoriale.*

J'aurais pu en rester là. Mais je n'étais pas satisfait et sentais trop le caractère provisoire de ma réponse. J'avais bien démontré l'originalité du culte romantique des morts, mais mon opinion sur l'indifférence médiévale et moderne à l'égard des sépultures, fondée sur des documents de la fin du XVIIIe *siècle et de la période révolutionnaire, me paraissait un peu légère et simpliste, et j'ai pensé qu'il fallait y regarder de plus près. Imprudente curiosité!*

Les testaments sont la meilleure source pour approcher l'attitude ancienne devant la sépulture. Nous avons, ma femme et moi, travaillé pendant près de trois ans au Minutier central, pratiquant de vingt ans en vingt ans, du XVIe *au* XIXe *siècle, des sondages dans quelques études notariales parisiennes. L'aventure était à l'Hôtel de Rohan. Je mettais le doigt dans l'engrenage, je perdis toute liberté : me voici désormais entraîné par les courants d'une recherche sans cesse élargie. J'aurais bien voulu limiter mon effort aux élections de sépultures dans les testaments. Mais comment résister à ces témoignages passionnants, si divers sous leur trompeuse apparence d'immobilité, comme l'a bien vu M. Vovelle? La proximité des clauses pieuses m'a amené à m'intéresser par contagion aux services religieux, aux fondations de messes, aux convois, aux relations avec la famille, le clergé, la fabrique. J'ai aussi constaté la grande rupture des années 1740 dont M. Vovelle a tiré un si bon parti dans sa* Piété baroque [1].

Mais les testaments me laissaient sur ma faim. Ils posaient plus de questions qu'ils n'en résolvaient. Ils me renvoyaient de proche en proche à d'autres sources, littéraires, archéologiques, liturgiques. Et, chaque fois, je m'enfonçais dans des séries

1. M. Vovelle, ***Piété baroque et Déchristianisation***, Paris, Plon, 1973.

documentaires nouvelles, passionnantes, que j'abandonnais quand j'avais le sentiment qu'elles se répétaient et ne m'apportaient plus rien.

Je citerai l'exemple des tombeaux : j'avais tenté au début de m'en tenir à quelques livres comme le Panofsky[1]*. Mais les tombeaux sont aussi irrésistibles que les testaments. Le hasard de mes voyages m'amenait dans des églises d'Italie, de Hollande, d'Allemagne, d'Angleterre, catholiques et protestantes. Toutes les églises de la chrétienté latine, sauf peut-être celles de la France iconoclaste, sont les musées vivants de la biographie personnelle, de l'inscription et du portrait.*

Chaque corpus me renvoyait à un autre.

Mon premier but de recherche avait perdu son pouvoir de motivation, recouvert par d'autres problèmes plus essentiels qui m'amenaient au fond de l'être. Je devinais des relations entre l'attitude devant la mort, dans ce qu'elle avait de plus général et de plus commun, et les variations de la conscience de soi et de l'autre, le sens de la destinée individuelle ou du grand destin collectif. Ainsi je remontais le cours de l'histoire, heureux de buter en amont sur une frontière de culture, l'enterrement ad sanctos, *frontière d'un autre monde. J'avais allongé la durée au-delà des limites permises par l'usage historien le plus libéral.*

Or, pendant que je voyageais à travers l'histoire médiévale et moderne, voici qu'un grand changement se faisait autour de moi, que je découvrais soudain vers 1965, guidé par le livre de Geoffrey Gorer[2]*. Je pensais bien, au début de mes recherches, avec le culte des cimetières, le pèlerinage aux tombeaux, partir d'un fait contemporain. Mais le fait que je croyais contemporain était, au moins partiellement, refoulé sous mes yeux dans le passé par d'autres formes tout à fait nouvelles de sensibilité : la mort inversée. Les interdits de la mort, nés aux États-Unis et dans l'Europe du Nord-Ouest du* XXe *siècle, pénétraient désormais en France; une dimension imprévue était ajoutée, en aval cette fois, à une recherche déjà démesurément étendue dans le passé.*

1. E. Panofsky, *Tomb Sculpture*, Londres, 1964.
2. G. Gorer, *Death, Grief and Mourning in Contemporary Britain*, New York, Doubleday, 1965. Un livre clé.

D'ailleurs, dernier tour de la roue folle de l'histoire, l'interdit venait à peine de s'imposer à nos sociétés industrielles qu'il était à son tour violé, non plus seulement par une transgression obscène mais par le discours sérieux et avouable des spécialistes de l'anthropologie, médecins, ethnologues, psychologues, sociologues. La mort devient aujourd'hui si bavarde que j'ai hâte à mon tour de sortir de la demi-clandestinité d'une aventure solitaire et de joindre ma voix au chœur nombreux des « thanatologues ».

Une longue durée de plus d'un millénaire, un tel champ d'étude a de quoi inquiéter la légitime prudence des bons historiens. Aux États-Unis, Robert Darnton s'en est ému, dans un article du New York Review of Books *où il m'opposait à mon ami et complice M. Vovelle comme un essayiste un peu léger à un savant rompu aux méthodes quantitatives. Il mettait aussi en doute l'utilisation de certaines sources ecclésiastiques pour connaître les mentalités communes. Je dois donc me justifier, et je reprendrai ici quelques idées présentées au Colloque sur les visages de la mort dans la société contemporaine, organisé à Strasbourg en octobre 1974 par le Centre de sociologie protestante de l'université.*

Les changements de l'homme devant la mort, ou bien sont eux-mêmes très lents, ou bien se situent entre de longues périodes d'immobilité.

Les contemporains ne les aperçoivent pas, parce que le temps qui les sépare dépasse celui de plusieurs générations et excède la capacité de la mémoire collective. L'observateur d'aujourd'hui, s'il veut parvenir à une connaissance qui échappait aux contemporains, doit donc dilater son champ de vision et l'étendre à une durée plus longue que celle qui sépare deux grands changements successifs. S'il s'en tient à une chronologie trop courte, même si celle-ci paraît déjà longue aux yeux de la méthode historique classique, il risque d'attribuer des caractères originaux d'époque à des phénomènes qui sont en réalité beaucoup plus anciens.

C'est pourquoi l'historien de la mort ne doit pas avoir peur d'embrasser les siècles jusqu'à concurrence du millénaire : les erreurs qu'il ne peut pas ne pas commettre sont moins graves que les anachronismes de compréhension auxquels l'expose une chronologie trop courte.

Considérons donc comme acquise une durée millénaire. A l'intérieur de cette durée, comment détecter aujourd'hui les changements qui sont intervenus et qui, il faut le répéter, étaient inaperçus des contemporains?

Il existe au moins deux modes d'approche qui ne sont pas contradictoires, mais au contraire complémentaires. Le premier est celui de l'analyse quantitative de séries documentaires homogènes. Le modèle a été donné par M. Vovelle avec ses études des testaments méridionaux et des retables des âmes du Purgatoire. On imagine ce que pourrait donner une telle méthode statistique appliquée aux formes et aux sites des tombeaux, aux styles des inscriptions funéraires, aux ex-voto!

La seconde approche, qui a été la mienne, est plus intuitive, plus subjective, mais peut-être plus globale. L'observateur passe en revue une masse hétéroclite (et non plus homogène) de documents, et il essaie de déchiffrer, au-delà de la volonté des écrivains ou des artistes, l'expression inconsciente d'une sensibilité collective. Cette méthode est aujourd'hui suspecte parce qu'elle utilise aussi des matériaux nobles, et on pense que cette qualité esthétique, attribuée à une élite, ne traduit pas le sentiment commun.

En réalité, une pensée théologique, un thème artistique ou littéraire, bref, tout ce qui paraît ressortir d'une inspiration individualiste, ne peuvent trouver forme et style que s'ils sont à la fois très proches et un peu différents du sentiment général de leur époque. Moins proches, ils ne seraient même pas pensables par les auteurs, ni compris, pas plus de l'élite que de la masse. Pas du tout différents, ils passeraient inaperçus et ne franchiraient pas le seuil de l'Art. Le proche nous révèle la vulgate, le dénominateur commun de l'époque. Le différent contient à la fois des vélléités sans lendemain ou au contraire l'annonce prophétique des changements futurs. L'historien doit pouvoir distinguer ce proche et ce différent. A cette condition, périlleuse il est vrai, il a le droit de prendre son bien où il le trouve, dans une matière large et hétérogène, afin de comparer des documents de nature variée.

Cette dialectique du proche et du différent rend très délicate l'analyse des documents d'origine cléricale, qui constituent une source importante des attitudes devant la mort. L'historien de la mort ne doit pas les lire avec les mêmes lunettes que l'historien des religions. Il ne doit pas les considérer comme ce qu'ils étaient dans la pensée de leurs auteurs, des leçons de spiritualité ou de moralité. Il doit les déchiffrer pour retrouver, en dessous du langage ecclésiastique, le fonds banal de représentation commune qui allait de soi et qui rendait la leçon intelligible au public. Donc, un fonds commun à la fois aux clercs lettrés et aux autres, et qui s'exprime ainsi naïvement.

Aux quatre conférences de Johns Hopkins University qui exposent mes thèses, j'ai ajouté quelques articles, jalons de mon voyage à travers le temps. Ces articles s'échelonnent de 1966 à 1975. Ils s'adressent à des publics différents et ont été écrits à des époques différentes, et, par conséquent, j'ai été amené à revenir sur les mêmes sujets. J'ai dû en particulier évoquer à plusieurs reprises le thème qui revient dans cette œuvre comme un leitmotiv, le thème de la mort apprivoisée, fonds immémorial d'où se détachent les changements successifs. Malgré leurs répétitions et leur hétérogénéité, je pense que ces articles peuvent illustrer certaines conclusions, trop générales ou trop abruptes, du petit livre américain.

Maisons-Laffitte
2 mars 1975

1

Les attitudes devant la mort

1

La mort apprivoisée

Les nouvelles sciences de l'homme — et la linguistique — ont introduit dans l'usage des notions de diachronie et de synchronie qui vont peut-être nous aider. Comme beaucoup de faits de mentalité qui se situent dans la *longue durée*, l'attitude devant la mort peut paraître presque immobile à travers de très longues périodes de temps. Elle apparaît comme achronique. Et cependant, à certains moments, des changements interviennent, le plus souvent lents, et inaperçus parfois, aujourd'hui plus rapides et plus conscients. La difficulté pour l'historien est d'être sensible aux changements et aussi de ne pas être obsédé par eux et de ne pas oublier les grandes inerties qui réduisent la portée réelle des innovations [1].

Ce préambule n'est pas inutile pour expliquer dans quel esprit j'ai choisi les sujets de ces quatre exposés. Le premier se situera plutôt dans la synchronie. Il couvre une longue série de siècles, de l'ordre du millénaire. Nous l'appellerons la mort apprivoisée. Avec le second exposé, nous entrerons dans la diachronie : quels changements ont, au Moyen Age, à partir du XIIe siècle environ, commencé à modifier l'attitude a-chronique devant la mort, et quel sens pouvons-nous donner à ces changements. Enfin, les deux derniers exposés seront consacrés aux attitudes contemporaines, au culte des cimetières et des tombes, et à l'interdit jeté sur la mort dans les sociétés industrielles.

1. Les historiens d'aujourd'hui ont découvert que les cultures traditionnelles sont quasi statiques. Les équilibres économique et démographique eux-mêmes n'évoluent guère; si d'aventure ils sont bouleversés, ils ont tendance à revenir à leurs données initiales. Voir les travaux d'E. Le Roy Ladurie (notamment, *le Territoire de l'historien*, Paris, Gallimard, 1973) et de P. Chaunu, *Histoire science sociale*, Paris, SEDES, 1975.

Nous commençons par la mort apprivoisée. Demandons-nous d'abord comment mouraient les chevaliers de la chanson de geste ou des plus anciens romans médiévaux.

D'abord, ils sont avertis. On ne meurt pas sans avoir eu le temps de savoir qu'on allait mourir. Ou alors c'était la mort terrible, comme la peste ou la mort subite, et il fallait bien la présenter comme exceptionnelle, n'en pas parler. Normalement donc, l'homme était averti.

« Sachez, dit Gauvain, que je ne vivrai pas deux jours [1]. »

Le roi Ban a fait une mauvaise chute. Quand il revint à lui, il s'aperçut que le sang vermeil lui sortait de la bouche, du nez, des oreilles : « Il regarda le ciel et prononça comme il put... ' Ha sire Dieu, secourez-moi, car je vois et je sais que ma fin est arrivée '. » *Je vois et je sais* [2].

A Roncevaux, Roland « sent que la mort le prend tout. De sa tête, elle descend vers le cœur ». Il « sent que son temps est fini [3] ». Tristan « sentit que sa vie se perdait, il comprit qu'il allait mourir [4] ».

Les pieux moines ne se conduisaient pas autrement que les chevaliers. A Saint-Martin de Tours, au xe siècle, après quatre ans de réclusion, un vénérable ermite « sentit, nous dit Raoul Glaber, qu'il allait bientôt quitter le monde ». Le même auteur raconte qu'un autre moine, un peu médecin, qui soignait d'autres frères, dut se hâter. Il n'avait plus le temps : « Il savait que sa mort était proche [5]. »

Notons-le, l'avertissement était donné par des signes naturels ou plus souvent encore, par une conviction intime, plutôt que par une prémonition surnaturelle ou magique. C'était quelque chose de très simple, et qui traverse les âges, que nous retrouvons encore de nos jours, au moins comme

1. « La mort d'Arthus », *Les Romans de la Table ronde*, Paris, Boulenger, 1941, p. 443, éd. abrégée.
2. « Les enfances de Lancelot du Lac » *ibid.*, p. 124.
3. *La Chanson de Roland*, Paris, Bédier, 1922, chap. CLXXIV, CLXXV, CLXVIII.
4. *Le Roman de Tristan et Iseult*, Paris, Bédier, 1946, p. 233.
5. Cité par G. Duby, *L'An Mil*, Paris, Julliard, 1967, p. 89.

une survivance, à l'intérieur des sociétés industrielles. Quelque chose d'étranger au merveilleux comme à la piété chrétienne : la reconnaissance spontanée. Il n'y avait pas moyen de tricher, de faire comme si on n'avait rien vu. En 1491, c'est-à-dire en pleine Renaissance humaniste qu'on a l'habitude mauvaise d'opposer au Moyen Age, en tout cas dans un monde urbanisé bien éloigné de celui de Roland ou de Tristan, une *juvencula*, une très jeune fille, jolie, coquette, aimant la vie et les plaisirs, est frappée par la maladie. Va-t-elle, avec la complicité de son entourage, se raccrocher à la vie en jouant la comédie, en faisant comme si elle ne se rendait pas compte de la gravité de son état? Non. Elle se révolte cependant, mais cette révolte ne prend pas la forme d'un refus de la mort. *Cum cerneret, infelix juvencula, de proxima situ imminere mortem. Cum cerneret :* elle a vu, la malheureuse fillette, la mort prochaine. Alors, désespérée, elle donne son âme au diable [1].

Au XVIIe siècle, tout fou qu'il était, don Quichotte ne cherche pas à fuir la mort dans les songes où il avait consumé sa vie. Au contraire, les signes précurseurs de la mort le ramènent à la raison : « Ma nièce, dit-il très sagement, je me sens proche de la mort [2]. »

Saint-Simon dit de Mme de Montespan qu'elle avait peur de la mort. Elle avait plutôt peur de ne pas être avertie à temps, et aussi, nous y reviendrons, de mourir seule. « Elle couchait tous ses rideaux ouverts avec beaucoup de bougies dans sa chambre, ses veilleuses autour d'elle, qu'à toutes les fois qu'elle se réveillait, elle voulait trouver causant, joliant, ou mangeant pour se rassurer contre leur assoupissement. » Mais, malgré son angoisse, le 27 mai 1707, elle sut elle aussi, qu'elle allait mourir et prit ses dispositions [3].

Les mêmes mots sont ainsi passés d'âge en âge, immobiles, comme un proverbe. Nous les retrouvons chez Tolstoï

1. Cité par A. Tenenti, *Il Senso della morte e l'amore della vita nel Rinascimento*, Turin, Einaudi, coll. « Francia e Italia », 1957, p. 170, n. 18.

2. Cervantès, *Don Quichotte*, Paris, Gallimard, coll. « La Pléiade », IIe partie, chap. LXXIV.

3. Saint-Simon, *Mémoires*, Paris, Boislisle, 1901, vol. XV, p. 96.

à une époque où leur simplicité était déjà brouillée. Mais c'est le génie de Tolstoï de l'avoir retrouvée. Sur son lit d'agonie dans une gare de campagne, Tolstoï gémissait : « Et les moujiks? comment donc meurent les moujiks? » Mais les moujiks mouraient comme Roland, Tristan, don Quichotte : ils savaient. Dans *les Trois Morts* de Tolstoï, un vieux postillon agonise dans la cuisine de l'auberge, près du grand poêle de brique. Il sait. Quand une bonne femme lui demande gentiment si ça va, il répond : « La mort est là, voilà ce que c'est [1]. »

Cela se passait encore ainsi bien des fois dans la France rationaliste et positive, ou romantique et exaltée, du XIXe siècle. Il s'agit de la mère de M. Pouget : « En 1874, elle prit une ' colerine ' [une mauvaise maladie]. Au bout de quatre jours : allez me chercher M. le curé, je vous avertirai quand il faudra. Et deux jours après : allez dire à M. le curé de m'apporter l'extrême-onction. » Et Jean Guitton — qui écrivait ceci en 1941 — de commenter : « On voit comme les Pouget en ces temps anciens [1874!] passaient de ce monde à l'autre, en gens pratiques et simples, observateurs des signes, et d'abord sur eux-mêmes. Ils n'étaient pas pressés de mourir, mais quand ils voyaient l'heure venir, alors sans avance et sans retard, juste comme il le fallait, ils mouraient chrétiens [2]. » Mais d'autres, non chrétiens, mouraient aussi simplement.

Sachant sa fin prochaine, le mourant prenait ses dispositions. Et tout va se faire, très simplement, comme chez les Pouget, ou chez les moujiks de Tolstoï. Dans un monde aussi imprégné de merveilleux que celui des *Romans de la Table ronde*, la mort était chose toute simple. Quand Lancelot, blessé, égaré, s'aperçoit, dans la forêt déserte, qu'il a « perdu jusqu'au pouvoir de son corps », il croit qu'il va mourir. Alors que fait-il? Des gestes qui lui sont dictés par les anciennes coutumes, des

1. L. Tolstoï, *Les Trois Morts*, dans *la Mort d'Ivan Ilitch et autres contes*, Paris, Colin, 1958.
2. J. Guitton, *Portrait de M. Pouget*, Paris, Gallimard, 1941, p. 14.

gestes rituels qu'il faut faire quand on va mourir. Il ôte ses armes, se couche sagement sur le sol : il devrait être au lit (« gisant au lit malade », répéteront pendant plusieurs siècles les testaments). Il étend ses bras en croix — cela n'est pas habituel. Mais voici l'usage : il est étendu de telle sorte que sa tête soit tournée vers l'Orient, vers Jérusalem [1].

Quand Iseult retrouve Tristan mort, elle sait qu'elle aussi va mourir. Alors elle se couche près de lui, elle se tourne vers l'Orient.

A Roncevaux l'archevêque Turpin attend la mort couché, « sur sa poitrine, bien au milieu, a croisé ses blanches mains si belles ». C'est l'attitude des statues de gisants à partir du XIIe siècle. Dans le christianisme primitif, le mort était représenté les bras étendus dans l'attitude de l'orant. On attend la mort couché, gisant. Cette attitude rituelle est prescrite par les liturgistes du XIIIe siècle. « Le mourant, dit l'évêque Guillaume Durand de Mende, doit être couché sur le dos afin que sa face regarde toujours le ciel [2]. » Cette attitude n'est pas la même que celle des juifs, connue par des descriptions de l'Ancien Testament : les juifs se retournaient vers le mur pour mourir.

Ainsi disposé, le mourant peut accomplir les derniers actes du cérémonial traditionnel. Nous prendrons l'exemple de Roland, de la *Chanson*.

Le premier acte est le regret de la vie, un rappel, triste mais très discret, des êtres et des choses aimés, un raccourci réduit à quelques images. Roland « de plusieurs choses à remembrer le prist ». D'abord, « de tant de terres qu'il a conquis, le vaillant », ensuite, de douce France, des hommes de son lignage, de Charlemagne, son seigneur qui l'a nourri; de son maître et de ses copains (« compains »). Aucune pensée ni pour sa mère, ni pour sa fiancée. Rappel triste, touchant. « Il pleure et soupire et il ne peut s'en empêcher. » Mais cette

1. « La Quête du Saint Graal », *Les Romans de la Table ronde*, *op. cit.*, p. 347.

2. G. Durand de Mende, *Rationale divinorum officiorum*, édité par C. Barthélémy, Paris, 1854.

émotion ne dure pas — comme plus tard le deuil des survivants. C'est un moment du rituel.

Après la complainte du regret de la vie, vient le pardon des compagnons, des assistants, toujours nombreux, qui entourent le lit du mourant. Olivier demande à Roland pardon du mal qu'il a pu lui faire malgré lui : « Je vous pardonne ici et devant Dieu. A ces mots l'un vers l'autre ils s'inclinèrent. » Le mourant recommande à Dieu les survivants : « Que Dieu bénisse Charles et douce France, implore Olivier, et par-dessus tous, Roland, son compagnon. » Dans *la Chanson de Roland*, il n'est pas question de la sépulture ni de son choix. L'élection de sépulture apparaît dans les poèmes plus tardifs de la Table ronde.

Il est temps maintenant d'oublier le monde et de penser à Dieu. La prière se compose de deux parties : la coulpe, « Dieu, ma coulpe par ta grâce pour mes péchés... », un raccourci du futur *confiteor*. « A haute voix, Olivier dit sa coulpe, les deux mains jointes et levées vers le ciel et prie Dieu qu'il lui donne le Paradis. » C'est le geste des pénitents. La seconde partie de la prière est la *commendacio animae*, paraphrase d'une très vieille prière empruntée peut-être aux juifs de la Synagogue. Dans le français du XVIe au XVIIIe siècle, on appelle ces prières, très développées, les *recommendaces*. « Vrai Père qui jamais ne mentis, toi qui rappelles Lazare d'entre les morts, toi qui sauvas Daniel des lions, sauve mon âme de tous les périls... »

A ce moment intervenait sans doute le seul acte religieux ou plutôt ecclésiastique (car tout était religieux), l'absolution. Elle était donnée par le prêtre, qui lisait les psaumes, le *Libera*, encensait le corps et l'aspergeait d'eau bénite. Cette absolution était aussi répétée sur le corps mort, au moment de sa sépulture. Nous l'appelons « absoute ». Mais le mot absoute n'a jamais été employé dans la langue commune : dans les testaments on disait les *recommendaces*, le *Libera*...

Plus tard, dans *les Romans de la Table ronde*, on donne aux mourants le *Corpus Christi*. L'extrême-onction était réservée aux clercs, elle était donnée solennellement aux moines dans l'église.

Après la dernière prière, il ne reste plus qu'à attendre la mort et celle-ci n'a aucune raison de tarder. Ainsi Olivier : « Le cœur lui manque, tout son corps s'affaisse contre terre. Le comte est mort, il n'a pas fait plus longue demeure. » S'il arrive que la mort soit plus lente à venir, le moribond l'attend en silence : « Il dit [sa dernière prière] et jamais plus il ne souffla mot par la suite [1]. »

Arrêtons-nous là et tirons quelques conclusions générales. La première a déjà été suffisamment dégagée : on attend la mort au lit, « gisant au lit malade ».

La seconde est que la mort est une cérémonie publique et organisée. Organisée par le mourant lui-même qui la préside et en connaît le protocole. S'il venait à oublier ou à tricher, il appartenait aux assistants, au médecin, au prêtre de le rappeler à un ordre à la fois chrétien et coutumier.

Cérémonie publique aussi. La chambre du mourant se changeait alors en lieu public. On y entrait librement. Les médecins de la fin du XVIIIe siècle qui découvraient les premières règles de l'hygiène se plaignaient du surpeuplement des chambres d'agonisants [2]. Encore au début du XIXe siècle, les passants qui rencontraient dans la rue le petit cortège du prêtre portant le viatique l'accompagnaient, entraient à sa suite dans la chambre du malade [3].

Il importait que les parents, amis, voisins fussent présents. On amenait les enfants : pas de représentation d'une chambre

1. *La Chanson de Roland*, chap. CLXVI; G. Durand de Mende, « Du cimetière... », chap. XXXVIII, XXXIV; *Rationale divinorum officiorum*, *op. cit.*, vol. IV, chap. V.

2. « Dès que quelqu'un tombe malade, on ferme la maison, on allume les chandelles et tout le monde s'assemble autour du malade », enquête médicale organisée par Vicq d'Azyr, 1774-1794, *in* J.-P. Peter, « Malades et maladies au XVIIIe siècle », *Annales. Économies, sociétés, civilisations (Annales ESC)*, 1967, p. 712.

3. P. Craven, *Récit d'une sœur, Souvenir de famille*, Paris, J. Clay, 1866, vol. II, p. 197. La peinture académique de la seconde moitié du XIXe siècle est riche en scènes de ce genre.

de mourant jusqu'au XVIIIe siècle sans quelques enfants. Quand on pense aujourd'hui au soin pris pour écarter les enfants des choses de la mort!

Enfin, dernière conclusion, la plus importante : la simplicité avec laquelle les rites de la mort étaient acceptés et accomplis, d'une manière cérémonielle, certes, mais sans caractère dramatique, sans mouvement d'émotion excessif.

La meilleure analyse de cette attitude, nous la demanderons à Soljénitsyne, dans *le Pavillon des cancéreux*. Ephren croyait bien en savoir plus que ses anciens : « Les anciens n'avaient pas même mis le pied à la ville de toute leur vie, ils n'osaient pas alors qu'Ephren savait déjà galoper et tirer au pistolet à 13 ans... et voilà que maintenant.. il se remémorait la façon qu'ils avaient de mourir, ces vieux, dans leurs coins là-bas... aussi bien les Russes que les Tatars ou les Oudmourtes. Sans fanfaronnades, sans faire d'histoire, sans se vanter qu'ils ne mourraient pas; tous ils admettaient la mort *paisiblement* [souligné par l'auteur]. Non seulement ils ne retardaient pas le moment des comptes, mais ils s'y préparaient tout doucement et à l'avance, désignaient à qui irait la jument, à qui le poulain... Et ils s'éteignaient avec une sorte de soulagement comme s'ils devaient simplement changer d'isba [1]. »

On ne peut mieux dire. Ainsi est-on mort pendant des siècles ou des millénaires. Dans un monde soumis au changement, l'attitude traditionnelle devant la mort apparaît comme une masse d'inertie et de continuité. L'attitude ancienne où la mort est à la fois familière, proche et atténuée, indifférente, s'oppose trop à la nôtre où la mort fait peur au point que nous n'osons plus dire son nom. C'est pourquoi j'appellerai ici cette mort familière la *mort apprivoisée*. Je ne veux pas dire que la mort a été auparavant sauvage, puisqu'elle a cessé de l'être. Je veux dire au contraire qu'elle est devenue aujourd'hui sauvage.

1. A. Soljénitsyne, *Le Pavillon des cancéreux*, Paris, Julliard, 1968.

Nous allons maintenant aborder un autre aspect de l'ancienne familiarité avec la mort : la coexistence des vivants et des morts.

C'est un phénomène nouveau et surprenant. Il était inconnu de l'Antiquité païenne et même chrétienne. Il nous est tout à fait étranger depuis la fin du XVIIIe siècle.

Malgré leur familiarité avec la mort, les Anciens redoutaient le voisinage des morts et les tenaient à l'écart. Ils honoraient les sépultures : nos connaissances des anciennes civilisations préchrétiennes proviennent en grande partie de l'archéologie funéraire, des objets trouvés dans les tombes. Mais l'un des buts des cultes funéraires était d'empêcher les défunts de *revenir* troubler les vivants.

Le monde des vivants devait être séparé de celui des morts. C'est pourquoi, à Rome, la loi des Douze Tables interdisait d'enterrer *in urbe*, à l'intérieur de la ville. Le Code théodosien répète la même interdiction, afin que soit préservée la *sanctitas* des maisons des habitants. Le mot *funus* signifie à la fois le corps mort, les funérailles et le meurtre. *Funestus* signifie la profanation provoquée par un cadavre. En français, il a donné funeste [1].

C'est aussi pourquoi les cimetières étaient situés hors des villes, sur le bord des routes comme la Via Appia à Rome, les Alyscamps à Arles.

Saint Jean Chrysostome éprouvait la même répulsion que ses ancêtres païens quand, dans une homélie, il exhortait les chrétiens à s'opposer à un usage nouveau et encore peu suivi : « Veille à ne jamais élever un tombeau dans la ville. Si on déposait un cadavre là où tu dors et tu manges, que ne ferais-tu pas? Et pourtant tu déposes les morts non pas là où tu dors et tu manges, mais sur les membres du Christ [2] », c'est-à-dire dans les églises.

Cependant, l'usage dénoncé par saint Jean Chrysostome devait se répandre et s'imposer, malgré des interdictions du

1. « Ad sanctos », *Dictionnaire d'archéologie chrétienne et de liturgie*, Paris, Letouzey, 1907, vol. I, p. 479 *sq*.
2. Saint Jean Chrysostome, *Opera...*, Paris, Éd. Montfaucon, 1718-1738, vol. VIII, p. 71, homélie 74.

droit canonique. Les morts vont entrer dans les villes d'où ils ont été éloignés pendant des millénaires.

Cela a commencé, non pas tant avec le christianisme, mais avec le culte des martyrs, d'origine africaine. Les martyrs étaient enterrés dans les nécropoles extra-urbaines, communes aux chrétiens et aux païens. Les sites vénérés des martyrs attirèrent à leur tour les sépultures. Saint Paulin fit transporter le corps de son fils près des martyrs d'Aecole en Espagne pour qu'il « soit associé aux martyrs par l'alliance du tombeau afin que, dans le voisinage du sang des saints, il puise cette vertu qui purifie nos âmes comme le feu [1] ». « Les martyrs, explique un autre auteur du ve siècle, Maxime de Turin, nous garderont, nous qui vivons avec nos corps, et ils nous prennent en charge, quand nous avons quitté nos corps. Ici, ils nous empêchent de tomber dans le péché; là, ils nous protègent de l'horrible enfer. C'est pourquoi nos ancêtres ont veillé à associer nos corps aux ossements des martyrs [2]. »

Cette association a commencé dans les cimetières extra-urbains où avaient été déposés les premiers martyrs. Sur la confession du saint, une basilique, desservie par des moines, fut construite autour de laquelle les chrétiens voulurent être enterrés. Les fouilles des villes romaines d'Afrique ou d'Espagne nous montrent un spectacle extraordinaire, ailleurs oblitéré par les urbanismes postérieurs : amoncellements de sarcophages de pierre sur plusieurs étages, entourant en particulier les murs de l'abside, les plus proches de la confession. Cet entassement témoigne de la force du désir d'être enterré près des saints, *ad sanctos*.

Il arriva un moment où la distinction entre les faubourgs où on enterrait *ad sanctos*, parce qu'on était *extra urbem*, et la cité toujours interdite aux sépultures, disparut. Nous savons comment cela s'est passé à Amiens au VIe siècle : l'évêque saint Vaast, mort en 540, avait élu sa sépulture hors de la ville. Mais, quand les porteurs voulurent l'enlever, ils ne purent remuer le corps devenu soudain trop lourd. Alors

1. « Ad sanctos », *Dictionnaire d'archéologie chrétienne..., op. cit.*, vol. I, p. 479 *sq*.
2. *Patrologia latina*, vol. LVII, coll. 427-428.

l'archiprêtre pria le saint d'ordonner « que tu sois porté au lieu que nous [c'est-à-dire le clergé de la cathédrale] avons préparé pour toi [1] ». Il interprétait bien la volonté du saint, puisque aussitôt le corps est devenu léger. Pour que le clergé puisse ainsi tourner l'interdit traditionnel et prévoir qu'il garderait dans la cathédrale les saints tombeaux, et les sépultures que le saint tombeau attirerait, il fallait que les anciennes répulsions fussent bien affaiblies.

La séparation entre l'abbaye cémétériale et l'église cathédrale était donc effacée. Les morts déjà mêlés aux habitants des quartiers populaires des faubourgs, qui avaient poussé autour des abbayes, pénétraient aussi au cœur historique des villes.

Désormais, il n'y eut plus de différence entre l'église et le cimetière.

Dans la langue médiévale, le mot église ne désignait pas seulement les bâtiments de l'église, mais l'espace tout entier qui entourait l'église : pour la coutume de Hainaut, l'église « paroichiale » (paroissiale) est « assavoir la nef, clocher et chimiter » (ou cimetière).

On prêchait, on distribuait les sacrements aux grandes fêtes, on faisait les processions dans la cour ou *atrium* de l'église, qui était aussi bénit. Réciproquement, enterrait-on à la fois dans l'église, contre ses murs et aux alentours, *in porticu*, ou sous les gouttières, *sub stillicidio*. Le mot cimetière désigna plus particulièrement la partie extérieure de l'église, l'*atrium* ou aître. Aussi aître est-il l'un des deux mots utilisés par la langue courante pour désigner le cimetière, le mot cimetière appartenant plutôt jusqu'au XVe siècle au latin des clercs [2]. Turpin presse Roland de sonner le cor afin que le

1. Cité par E. Salin, *la Civilisation mérovingienne*, Paris, A. et J. Picard, 1949, vol. II, p. 35.

2. C. du Cange, « Cemeterium », *Glossarium mediae et infimae latinitatis*, Paris, Didot, 1840-1850, 1883-1887; E. Viollet-le-Duc, « Tombeau », *Dictionnaire raisonné de l'architecture française du* XIe *au* XVIe *siècle*, Paris, B. Baucé (A. Morel), 1870, vol. IX, p. 21-67; *La Chanson de Roland*, *ibid.*, chap. XXXXII.

roi et son ost viennent les venger, les pleurer et les « enfouir en aîtres de moustiers ». Aître a disparu du français moderne. Mais son équivalent germanique est resté en anglais, en allemand, en néerlandais : *churchyard*.

Il y avait un autre mot, employé en français comme synonyme d'aître : le charnier. On le trouve déjà dans *la Chanson de Roland*, carnier. Il est resté sous sa forme la plus ancienne, la plus proche du latin *carnis*, dans notre parler populaire : « une vieille carne », et sans doute appartenait-il, déjà avant Roland, à une sorte d'argot pour désigner ce que le latin classique ne nommait pas, et que le latin d'église désignait d'un mot grec et savant, *cemeterium*. Il est remarquable que, dans les mentalités de l'Antiquité, l'édifice funéraire — *tumulus*, *sepulcrum*, *monumentum*, ou plus simplement *loculus* — comptait plus que l'espace qu'il occupait, sémantiquement moins riche. Dans les mentalités médiévales, au contraire, l'espace clos qui enferme les sépultures compte plus que le tombeau.

A l'origine charnier était synonyme d'aître. A la fin du Moyen Age, il désigna seulement une partie du cimetière, c'est-à-dire les galeries qui couraient le long de la cour de l'église et qui étaient surmontées d'ossuaires. Au cimetière des Innocents, dans le Paris du XVe siècle, « est un grand cimetière moult grant enclos de maisons appelées charniers, là où les morts sont entassés [1] ».

On peut alors imaginer le cimetière tel qu'il exista au Moyen Age et encore aux XVIe et XVIIe siècles, jusqu'à l'âge des Lumières.

Il est toujours la cour rectangulaire de l'église, dont le mur occupe généralement l'un de ses quatre côtés. Les trois autres sont souvent garnis d'arcades ou charniers. Au-dessus de ces galeries, les ossuaires où crânes et membres sont disposés avec art : la recherche d'effets décoratifs avec des os aboutira en plein XVIIIe siècle à l'imagerie baroque et macabre

1. G. Le Breton, *Description de Paris sous Charles VI*, cité par J. Leroux de Lincy et L. Tisserand, *Paris et ses historiens au XIVe et au XVe siècle*, Paris, Imp. impériale, 1867, p. 193.

qu'on peut encore voir, par exemple, à Rome à l'église des Capucins ou à l'église della Orazione e della Morte qui est derrière le palais Farnèse : lustres, ornements fabriqués rien qu'avec des petits os.

D'où venaient les os ainsi présentés dans les charniers? Principalement des grandes fosses communes, dites « fosses aux pauvres », larges et profondes de plusieurs mètres, où étaient entassés les cadavres, simplement cousus dans leurs suaires, sans bière. Quand une fosse était pleine, on la fermait et on en rouvrait une plus ancienne, après avoir porté les os secs aux charniers. Les dépouilles des défunts plus riches, qui étaient enterrés à l'intérieur de l'église, non pas dans des caveaux voûtés, mais à même la terre, sous les dalles du sol, prenaient aussi un jour le chemin des charniers. On n'avait pas l'idée moderne que le mort devait être installé dans une sorte de maison à lui, dont il serait le propriétaire perpétuel — ou tout au moins le locataire de longue durée —, qu'il y serait chez lui et qu'on ne pourrait pas l'en déloger. Au Moyen Age et encore au XVIe et au XVIIe siècle, peu importait la destination exacte des os, pourvu qu'ils restassent près des saints ou à l'église, près de l'autel de la Vierge ou du Saint-Sacrement. Le corps était confié à l'Église. Peu importait ce que l'Église en ferait pourvu qu'elle les conservât dans son enceinte sacrée.

Le fait que les morts étaient entrés à l'église et dans sa cour n'empêcha ni l'une ni l'autre de devenir des lieux publics. La notion d'asile et de refuge est à l'origine de cette destination non funéraire du cimetière [1]. Pour le lexicographe qu'était Du Cange, le cimetière n'était pas toujours nécessairement le lieu où l'on enterre, mais il pouvait être, indépen-

1. C. du Cange, « Cemeterium », *op. cit.*; E. Lesnes, « Les cimetières », *Histoire de la propriété ecclésiastique en France*, Lille, Ribiard (Desclée de Brouwer), 1910, vol. III; A. Bernard, *La Sépulture en droit canonique du décret de Gratien au concile de Trente*, Paris, Loviton, 1933; C. Enlart, *Manuel d'archéologie française depuis les temps mérovingiens jusqu'à la Renaissance*, Paris, Picard, 1902.

damment de toute destination funéraire, un lieu d'asile, et il était défini par la notion d'asile : *azylus circum ecclesiam.*

Aussi, dans cet asile intitulé cimetière, qu'on y enterrât ou qu'on n'y enterrât pas, on prit le parti de construire des maisons et de les habiter. Le cimetière désigna alors, sinon un quartier, du moins un îlot de maisons jouissant de certains privilèges fiscaux ou domaniaux. Enfin, cet asile devint un lieu de rencontre et de réunion comme le Forum des Romains, la Piazza Major ou le Corso des villes méditerranéennes, pour y faire commerce, pour y danser et jouer, tout simplement pour le plaisir d'être ensemble. Le long des charniers, s'installaient parfois boutiques et marchands. Au cimetière des Innocents les écrivains publics offraient leurs services.

En 1231, le concile de Rouen défend de danser au cimetière ou à l'église sous peine d'excommunication. Un autre concile de 1405 interdit de danser au cimetière, d'y jouer à un jeu quelconque, défend aux mimes, aux jongleurs, aux montreurs de masques, aux musiciens, aux charlatans d'y exercer leur métier suspect.

Mais voici qu'un texte de 1657 montre qu'on commençait à trouver un peu gênant le rapprochement en un même lieu des sépultures et des « cinq cents badineries que l'on voit sous ces galeries ». « Au milieu de cette cohue [écrivains publics, lingères, libraires, revendeuses à la toilette], on devait procéder à une inhumation, ouvrir une tombe et relever des cadavres qui n'étaient pas encore consommés, où, même dans les grands froids, le sol du cimetière exhalait des odeurs méphitiques [1] ». Mais si, à la fin du XVIIe siècle, on commence à apercevoir des signes d'intolérance, il faut bien admettre que, pendant plus d'un millénaire, on s'était parfaitement accommodé de cette promiscuité entre les vivants et les morts.

Le spectacle des morts, dont les os affleuraient à la surface des cimetières, comme le crâne de Hamlet, n'impressionnait

1. Berthold, *La Ville de Paris, en vers burlesques. Journal d'un voyage à Paris, en 1657*, cité par V. Dufour dans *Paris à travers les âges*, Paris, Laporte, 1875-1882, vol. II.

pas plus les vivants que l'idée de leur propre mort. Ils étaient aussi familiers avec les morts que familiarisés avec leur mort.

Telle est la première conclusion sur laquelle nous devons nous arrêter.

2

La mort de soi

Nous avons vu, dans le précédent exposé, comment une certaine vulgate de la mort avait été adoptée par la civilisation occidentale. Nous allons voir aujourd'hui comment cette vulgate a été, non pas interrompue ni effacée, mais partiellement altérée pendant le second Moyen Age, c'est-à-dire à partir du XIe-XIIe siècle. Il ne s'agit pas, il faut bien le préciser dès le départ, d'une attitude nouvelle qui se substituera à la précédente que nous avons analysée, mais de modifications subtiles qui, peu à peu, vont donner un sens dramatique et personnel à la familiarité traditionnelle de l'homme et de la mort.

Pour bien comprendre ces phénomènes, il faut avoir présent à l'esprit que cette familiarité traditionnelle impliquait une conception collective de la destinée. L'homme de ces temps-là était profondément et immédiatement socialisé. La famille n'intervenait pas pour retarder la socialisation de l'enfant. D'autre part, la socialisation ne séparait pas l'homme de la nature sur laquelle il ne pouvait intervenir sinon par le miracle. La familiarité avec la mort est une forme de l'acceptation de l'ordre de la nature, acceptation à la fois naïve dans la vie quotidienne et savante dans les spéculations astrologiques.

L'homme subissait dans la mort l'une des grandes lois de l'espèce et il ne songeait ni à s'y dérober ni à l'exalter. Il l'acceptait simplement avec juste ce qu'il fallait de solennité pour marquer l'importance des grandes étapes que chaque vie devait toujours franchir.

Nous allons analyser maintenant une série de phénomènes nouveaux qui introduiront, à l'intérieur de la vieille idée du destin collectif de l'espèce, le souci de la particularité de chaque individu ; les phénomènes que nous avons choisis pour cette démonstration sont : la représentation du Jugement dernier, à la fin des temps; le déplacement du Jugement à la fin de chaque vie, au moment ponctuel de la mort; les thèmes macabres et l'intérêt porté aux images de la décomposition physique; le retour à l'épigraphie funéraire et à un début de personnalisation des sépultures.

La représentation du Jugement dernier

L'évêque Agilbert a été enterré en 680 dans la chapelle funéraire qu'il avait fait construire, à côté du monastère où il devait se retirer et mourir, à Jouarre. Son sarcophage est toujours en place. Qu'y voyons-nous? Sur un petit côté, le Christ en gloire, entouré des quatre évangélistes, c'est-à-dire l'image, tirée de l'Apocalypse, du Christ revenant à la fin des temps. Sur le grand côté suivant, c'est la résurrection des morts à la fin des temps : les élus debout, les bras levés, acclament le Christ du grand retour, qui tient dans sa main un rouleau, le *Livre de vie* [1]. Il n'y a ni jugement, ni condamnation. Cette image correspond à l'eschatologie commune des premiers siècles du christianisme : les morts qui appartenaient à l'Église et lui avaient confié leur corps (c'est-à-dire qu'ils l'avaient confié aux saints) s'endormaient comme les sept dormants d'Éphèse *(pausantes, in somno pacis)* et reposaient *(requiescant)* jusqu'au jour du second avènement, du grand retour, où ils se réveilleraient dans la Jérusalem céleste, soit au Paradis. Il n'y avait pas de place, dans cette conception, pour une responsabilité individuelle, pour un comptage des bonnes et des mauvaises actions. Sans doute les méchants, ceux qui n'appartenaient pas à l'Église, ne survivraient pas à leur mort, ils ne se réveilleraient pas et seraient abandonnés au non-être. Toute une population, quasi biologique, la popu-

1. J. Hubert, *Les Cryptes de Jouarre* (IVe Congrès de l'art du Haut Moyen Age), Melun, Imprimerie de la préfecture de Seine-et-Marne, 1952.

lation des saints, était ainsi assurée de la survie glorieuse, après une longue attente dans le sommeil.

Au XIIe siècle, la scène change. Aux tympans sculptés des églises romanes, à Beaulieu ou à Conques, la gloire du Christ, inspirée de la vision de l'Apocalypse, domine encore. Mais au-dessous apparaît une iconographie nouvelle, inspirée de Matthieu, la résurrection des morts, la séparation des justes et des damnés : le jugement (à Conques, sur le nimbe du Christ, un mot est écrit : *Judex*), le pèsement des âmes par l'archange saint Michel [1].

Au XIIIe siècle, l'inspiration apocalyptique, l'évocation du grand retour ont été à peu près effacées [2]. L'idée de jugement l'a emporté, et c'est bien une cour de justice qui est représentée. Le Christ est assis sur le trône du juge, entouré de sa cour (les apôtres). Deux actions prennent de plus en plus d'importance, le pèsement des âmes et l'intercession de la Vierge et de saint Jean, à genoux, les mains jointes, de chaque côté du Christ-juge. On juge chaque homme selon le *bilan de sa vie*, les bonnes et les mauvaises actions sont scrupuleusement séparées sur les deux plateaux de la balance. Elles ont été d'ailleurs écrites sur un livre. Dans le fracas magnifique du *Dies irae*, les auteurs franciscains du XIIIe siècle font porter le livre devant le juge du dernier jour, un livre où tout est enfermé, d'après quoi le monde sera jugé.

Liber scriptus proferetur
In quo totum continetur
Unde mundus judicetur.

Ce livre, le *liber vitae*, a pu être d'abord conçu comme le formidable recensement de l'univers, un livre cosmique. Mais, à la fin du Moyen Age, il est devenu le livre de comptes individuel. A Albi, sur la grande fresque de la fin du XVe ou du début du XVIe qui figure le Jugement dernier [3], les ressuscités le portent pendu à leur cou, comme une pièce d'identité, ou

1. Tympans de Beaulieu, de Conques, d'Autun.
2. Tympans des cathédrales de Paris, de Bourges, de Bordeaux, d'Amiens, etc.
3. Dans l'abside.

plutôt comme une « balance » des comptes à présenter aux portes de l'éternité. Chose très curieuse, le moment où est close cette « balance » — ou bilan (*balancia* en italien) — n'est pas le moment de la mort, mais le *dies illa*, le dernier jour du monde à la fin des temps. On remarque ici le refus invétéré d'assimiler la fin de l'être à la dissolution physique. On croyait à un au-delà de la mort qui n'allait pas nécessairement jusqu'à l'éternité infinie, mais qui ménageait une rallonge entre la mort et la fin des temps.

Ainsi l'idée du Jugement dernier est-elle liée, à mon avis, à celle de biographie individuelle, mais cette biographie est achevée seulement à la fin des temps, et non pas encore à l'heure de la mort.

Dans la chambre du mourant

Le second phénomène que je propose à votre observation a consisté à supprimer le temps eschatologique entre la mort et la fin des temps, et à situer le Jugement non plus dans l'éther du Grand Jour, mais dans la chambre, autour du lit du mourant.

Nous trouvons cette nouvelle iconographie dans des gravures sur bois diffusées par l'imprimerie, dans des livres qui sont des traités sur la manière de bien mourir : les *artes moriendi* du XVe et du XVIe siècle [1].

Cette iconographie nous ramène cependant au modèle traditionnel de la mort au lit que nous avons étudié dans le précédent exposé.

Le mourant est couché, entouré de ses amis et parents. Il est en train d'exécuter les rites que nous connaissons bien. Mais il se passe quelque chose qui perturbe la simplicité de la cérémonie et que les assistants ne voient pas, un spectacle réservé au seul mourant, lequel d'ailleurs le contemple avec un peu d'inquiétude et beaucoup d'indifférence. Des êtres surna-

1. Textes et gravures sur bois d'un *ars moriendi* reproduit dans A. Tenenti, *la Vie et la Mort à travers l'art du* XVe *siècle*, Paris, Colin, 1952, p. 97-120.

turels ont envahi la chambre et se pressent au chevet du « gisant ». D'un côté la Trinité, la Vierge, toute la cour céleste, et de l'autre Satan et l'armée des démons monstrueux. Le grand rassemblement qui aux XIIe et XIIIe siècles avait lieu à la fin des temps se fait donc désormais, au XVe siècle, dans la chambre du malade.

Comment interpréter cette scène?

Est-ce encore vraiment un jugement? Pas à proprement parler. La balance où sont pesés le bien et le mal ne sert plus. Il y a toujours le livre, et il arrive trop souvent que le démon s'en soit emparé d'un geste de triomphe — parce que les comptes de la biographie lui sont favorables. Mais Dieu n'apparaît plus avec les attributs du Juge. Il est plutôt arbitre ou témoin, dans les deux interprétations qu'on peut donner et qui probablement se superposaient.

La première interprétation est celle d'une lutte cosmique entre les puissances du bien et du mal qui se disputent la possession du mourant, et le mourant lui-même assiste au combat comme un étranger, quoiqu'il en soit l'enjeu. Cette interprétation est suggérée par la composition graphique de la scène dans les gravures des *artes moriendi*.

Mais si on lit attentivement les légendes qui accompagnent ces gravures, on s'aperçoit qu'il s'agit d'autre chose, et c'est la seconde interprétation. Dieu et sa cour sont là pour constater comment le mourant se comportera au cours de l'épreuve qui lui est proposée avant son dernier soupir et qui va déterminer son sort dans l'éternité. Cette épreuve consiste en une dernière tentation. Le mourant verra sa vie tout entière, telle qu'elle est contenue dans le livre, et il sera tenté soit par le désespoir de ses fautes, soit par la « vaine gloire » de ses bonnes actions, soit par l'amour passionné des choses et des êtres. Son attitude, dans l'éclair de ce moment fugitif, effacera d'un coup les péchés de toute sa vie, s'il repousse la tentation, ou, au contraire, annulera toutes ses bonnes actions, s'il y cède. La dernière épreuve a remplacé le Jugement dernier.

Deux observations importantes s'imposent.

La première concerne le rapprochement qui s'opère alors entre la représentation traditionnelle de la mort au lit et celle du jugement individuel de chaque vie. La mort au lit, nous l'avons vu, était un rite apaisant, qui solennisait le passage nécessaire, le « trépas », et réduisait les différences entre les individus. On ne s'inquiétait pas du sort particulier de ce mourant-là. Il en sera de même pour lui comme pour tous les hommes; ou du moins pour tous les saints chrétiens en paix avec l'Église. Un rite essentiellement collectif.

Au contraire, le Jugement, même s'il se passait dans une grande action cosmique, à la fin des temps, était particulier à chaque individu et personne ne connaissait son sort avant que le juge ait décidé après pèsement des âmes et plaidoiries des intercesseurs.

L'iconographie des *artes moriendi* réunit donc dans la même scène la sécurité du rite collectif et l'inquiétude d'une interrogation personnelle.

La deuxième observation concerne la relation de plus en plus étroite qui s'est établie entre la mort et la biographie de chaque vie particulière. La relation a mis du temps à s'imposer. Aux XIVe et XVe siècles, elle est définitive, sans doute sous l'influence des ordres mendiants. On croit désormais que chaque homme revoit sa vie tout entière au moment de mourir, en un seul raccourci. On croit aussi que son attitude à ce moment donnera à cette biographie son sens définitif, sa conclusion.

Nous comprenons alors que, tout en persistant jusqu'au XIXe siècle, la solennité rituelle de la mort au lit a pris, à partir de la fin du Moyen Age, dans les classes instruites, un caractère dramatique, une charge d'émotion, qu'elle n'avait pas auparavant.

Nous remarquerons, cependant, que cette évolution a renforcé le rôle du mourant lui-même dans les cérémonies de sa propre mort. Il est toujours au centre de l'action qu'il préside comme autrefois et, en outre, il la détermine par sa volonté.

Les idées pourront changer aux XVIIe et XVIIIe siècles. Sous l'action de la Réforme catholique, les auteurs spirituels lutteront contre la croyance populaire selon laquelle il n'était pas si nécessaire de se donner trop de mal à vivre vertueusement puisqu'une bonne mort rachetait toutes les fautes. Cependant, on ne cessa de reconnaître une importance morale à la conduite du mourant et aux circonstances de sa mort. Il a fallu attendre le XXe siècle pour que cette croyance enracinée ait été refoulée au moins dans les sociétés industrielles.

Le « transi »

Le troisième phénomène que je propose à vos réflexions apparaît au même moment que les *artes moriendi :* c'est l'apparition du cadavre, on disait « le transi », « la charogne », dans l'art et dans la littérature [1].

Il est remarquable que dans l'art, du XIVe au XVIe siècle, la représentation de la mort sous les traits d'une momie, d'un cadavre à demi décomposé, est moins répandue qu'on ne le croit. Elle se trouve surtout dans l'illustration de l'office des morts des manuscrits du XVe siècle, dans la décoration pariétale des églises et des cimetières (la Danse des morts). Elle est beaucoup plus rare dans l'art funéraire. Le remplacement sur la tombe du gisant par un « transi » est limité à certaines régions comme l'Est de la France, l'Allemagne occidentale, et il est exceptionnel en Italie et en Espagne. Il n'a jamais été vraiment admis comme un thème commun de l'art funéraire. C'est plus tard, au XVIIe siècle, que le squelette ou les os, la *morte secca*, et non plus le cadavre en décomposition, se sont répandus sur toutes les tombes et ont même pénétré dans l'intérieur des maisons, sur les cheminées et les meubles. Mais la vulgarisation des objets macabres, sous la forme de crânes et d'os, à partir de la fin du XVIe siècle, a une autre signification que celle du cadavre putréfié.

Les historiens ont été frappés par l'apparition du cadavre et de la momie dans l'iconographie. Le grand Huizinga y a vu une preuve de sa thèse sur la crise morale de « l'automne du Moyen Age ». Aujourd'hui Tenenti reconnaît plutôt dans

1. A Tenenti, *La Vie et la Mort à travers l'art du* XVe *siècle, op. cit.;* du même auteur, *Il Senso della morte..., op. cit.*, p. 139-184; J. Huizinga, *L'Automne du Moyen Age*, Paris, Payot, 1975 (traduction).

cette horreur de la mort le signe de l'amour de la vie (« la vie pleine ») et du bouleversement du schéma chrétien. Mon interprétation se situera dans la direction de Tenenti.

Avant d'aller plus loin, il faut remarquer le silence des testaments. Il arrive que les testateurs du XVe siècle parlent de leur charogne, et le mot disparaît au XVIe siècle. Mais, d'une manière générale, la mort des testaments se rattache à la conception apaisée de la mort au lit. L'horreur de la mort physique, que pourrait signifier le cadavre, y est tout à fait absente, ce qui permet de supposer qu'elle était aussi absente de la mentalité commune.

En revanche, et c'est une observation capitale, l'horreur de la mort physique et de la décomposition est un thème familier de la poésie du XVe siècle et du XVIe siècle. « Sac à fiens » (fientes) dit P. de Nesson (1383-1442).

> *O charoigne, qui n'es mais hon,*
> *Qui te tenra lors compaignée?*
> *Ce qui istra* [sortira] *de ta liqueur,*
> *Vers engendrés de la pueur*
> *De ta ville chair encharoignée* [1].

Mais l'horreur n'est pas réservée à la décomposition *post mortem*, elle est *intra vitam*, dans la maladie, dans la vieillesse :

> *Je n'ay plus que les os, un squelette je semble*
> *Décharné, démusclé, dépoulpé...*
> *Mon corps s'en va descendre où tout se désassemble* [2].

Il ne s'agit pas, comme chez les sermonnaires, d'intentions moralisatrices ou pastorales, d'arguments de prédicateurs. Les poètes prennent conscience de la présence universelle de la corruption. Elle est dans les cadavres, mais aussi, au cours de la vie, dans « les œuvres naturelles ». Les vers qui mangent

1. P. de Nesson, « Vigiles des morts; paraphrase sur Job », cité dans l'*Anthologie poétique française, Moyen Age*, Paris, Garnier, 1967, vol. II, p. 184.

2. P. de Ronsard, « Derniers vers », sonnet I, *Œuvres complètes*, Éd. P. Laumonier (éd. revue, Paris, Silver et Le Bègue, 1967), vol. XVIII, 1re partie, p. 176-177.

les cadavres ne viennent pas de la terre, mais de l'intérieur du corps, de ses « liqueurs » naturelles :

> *Chascun conduit* [du corps]
> *Puante matière produit*
> *Hors du corps continuellement* [1].

La décomposition est le signe de l'échec de l'homme, et c'est là sans doute le sens profond du macabre, qui en fait un phénomène nouveau et original.

Pour bien le comprendre, il faut partir de la notion contemporaine d'échec qui nous est, hélas!, trop familière dans nos sociétés industrielles d'aujourd'hui.

Aujourd'hui l'adulte éprouve tôt ou tard, et de plus en plus tôt, le sentiment qu'il a échoué, que sa vie d'adulte n'a réalisé aucune des promesses de son adolescence. Ce sentiment est à l'origine du climat de dépression qui s'étend dans les classes aisées des sociétés industrielles.

Ce sentiment était tout à fait étranger aux mentalités des sociétés traditionnelles, où on mourait comme Roland ou les paysans de Tolstoï. Il n'était plus étranger à l'homme riche, puissant ou instruit de la fin du Moyen Age. Toutefois, entre notre sentiment contemporain de l'échec personnel et celui de la fin du Moyen Age, il existe une différence très intéressante. Aujourd'hui nous ne mettons pas en relation notre échec vital et notre mortalité humaine. La certitude de la mort, la fragilité de notre vie sont étrangères à notre pessimisme existentiel.

Au contraire, l'homme de la fin du Moyen Age avait une conscience très aiguë qu'il était un mort en sursis, que le sursis était court, que la mort, toujours présente à l'intérieur de lui-même, brisait ses ambitions, empoisonnait ses plaisirs. Et cet homme-là avait une passion de la vie que nous avons peine à comprendre aujourd'hui, peut-être parce que notre vie est devenue plus longue :

« Il faut laisser maison et vergers et jardins ...[2] », disait

1. P. de Nesson, cité par A. Tenenti dans *Il Senso della morte...*, *op. cit.*, p. 147.
2. Ronsard, « Derniers vers », *loc. cit.*, sonnet XI, p. 180.

Ronsard en pensant à la mort. Lequel d'entre nous regrettera devant la mort sa villa de Floride ou sa ferme de Virginie? L'homme des époques protocapitalistes — c'est-à-dire où la mentalité capitaliste et technicienne était en voie de formation et n'était pas encore formée (elle ne le sera peut-être pas avant le XVIIIe siècle?) —, cet homme avait un amour irraisonné, viscéral, pour les *temporalia*, et on entendait par *temporalia*, à la fois et mélangés, les choses, les hommes, les chevaux et les chiens.

Nous arrivons alors maintenant à un moment de notre analyse où nous pouvons tirer quelque conclusion générale des premiers phénomènes observés : le Jugement dernier, la dernière épreuve des *artes moriendi*, l'amour de la vie avouée par les thèmes macabres. Pendant la seconde moitié du Moyen Age, du XIIe au XVe siècle, il s'est fait un rapprochement entre trois catégories de représentations mentales : celles de la mort, de la connaissance par chacun de sa propre biographie, de l'attachement passionné aux choses et aux êtres possédés pendant la vie. La mort est devenue le lieu où l'homme a pris le mieux conscience de lui-même.

Les sépultures

Le dernier phénomène qui nous reste à examiner confirme cette tendance générale. Il concerne les tombeaux ou, plus précisément, l'individualisation des sépultures [1].

On ne se trompe pas beaucoup en disant que, dans la Rome antique, chacun, parfois esclave, avait un endroit de sépulture *(loculus)* et que cet endroit était souvent marqué par une inscription. Les inscriptions funéraires sont innombrables. Elles sont toujours nombreuses au début de l'époque chrétienne. Elles signifient le désir de conserver l'identité de la tombe et la mémoire du disparu.

Vers le Ve siècle, elles se font rares, et, plus ou moins vite selon les endroits, elles disparaissent.

Les sarcophages de pierre comportaient souvent, outre les

1. E. Panofsky, *op. cit.*

noms des défunts, leurs portraits. Les portraits disparaissent à leur tour, si bien que les sépultures deviennent complètement anonymes. Cette évolution ne nous étonnera pas après ce que nous avons dit dans le précédent exposé sur l'enterrement *ad sanctos :* le défunt était abandonné à l'Église qui le prenait en charge jusqu'au jour où il ressusciterait. Les cimetières de la première moitié du Moyen Age et encore les cimetières plus tardifs, où ont persisté les usages anciens, sont des accumulations de sarcophages de pierre, parfois sculptés, presque toujours anonymes, si bien que, faute de mobilier funéraire, il n'est pas facile de les dater.

Or, à partir du XIIe siècle — et parfois un peu avant —, nous retrouvons les inscriptions funéraires qui avaient presque disparu pendant huit à neuf cents ans.

Elles sont d'abord revenues sur les tombes des personnages illustres — c'est-à-dire saints ou assimilés à des saints. Ces tombes, d'abord très rares, deviennent au XIIIe siècle plus fréquentes. La dalle du tombeau de la reine Mathilde, la première reine normande d'Angleterre, est ornée d'une courte inscription.

Avec l'inscription réapparaît aussi l'effigie, sans que celle-ci soit vraiment un portrait. Elle évoque le béatifié ou l'élu reposant dans l'attente du Paradis. A l'époque de Saint Louis, cependant, elle deviendra plus réaliste et s'attachera à reproduire les traits du vivant. Enfin, au XIVe siècle, elle poussera le réalisme jusqu'à reproduire un masque pris sur le visage du défunt. Pour une certaine catégorie de personnages illustres, clercs ou laïcs — les seuls qui avaient de grandes tombes sculptées —, on est donc allé de l'anonymat complet à la courte inscription et au portrait réaliste. L'art funéraire a évolué vers une plus grande personnalisation jusqu'au début du XVIIe siècle et le défunt peut alors être représenté deux fois sur la même tombe, en gisant et en priant.

Ces tombes monumentales sont bien connues de nous, parce qu'elles appartiennent à l'histoire de l'art de la sculpture. A la vérité, elles ne sont pas assez nombreuses pour caractériser un fait de civilisation. Mais nous possédons quelques indices qui nous font penser que l'évolution générale a suivi le même sens. Au XIIIe siècle, nous voyons se multiplier, à côté de ces grandes tombes monumentales, de petites plaques de 20 à 40 cm de côté qui étaient appliquées contre le mur de l'église (à l'intérieur ou à l'extérieur) ou contre un pilier. Ces plaques sont peu connues parce qu'elles ont été négligées par les historiens de l'art. La plupart ont disparu. Elles intéressent beaucoup l'historien des mentalités. Elles ont été la forme de monuments funéraires la plus répandue jusqu'au XVIIIe siècle. Les unes sont de simples inscriptions en latin ou en français : ci-gît Un tel, mort à telle date, sa fonction. Les autres, un peu plus grandes, comportent, outre l'inscription, une scène où le défunt est représenté soit seul, soit avec son saint patron, devant le Christ ou à côté d'une scène religieuse (crucifixion, Vierge de miséricorde, résurrection du Christ ou de Lazare, Jésus au mont des Oliviers, etc.). Ces plaques murales sont très fréquentes aux XVIe, XVIIe, XVIIIe siècles : nos églises en étaient entièrement revêtues. Elles traduisent la volonté d'individualiser le lieu de la sépulture et de perpétuer en cet endroit le souvenir du défunt [1].

Au XVIIIe siècle, les plaques à simple inscription deviennent de plus en plus nombreuses, au moins dans les villes où les artisans, cette classe moyenne de l'époque, tenaient à leur tour à sortir de l'anonymat et à conserver leur identité après la mort [2].

Toutefois, ces plaques tombales n'étaient pas le seul moyen, ni peut-être le plus répandu, de perpétuer le souvenir. Les défunts prévoyaient dans leur testament des services religieux perpétuels pour le salut de leur âme. Dès le XIIIe siècle et jusqu'au XVIIe, les testataires (de leur vivant) ou leurs héritiers firent graver sur une plaque de pierre (ou de cuivre) les termes de la donation et les engagements du curé et de la paroisse. Ces plaques de fondation étaient au moins aussi significatives que les « ci-gît ». Les deux étaient parfois combinés; parfois

1. On trouve bon nombre de ces « tableaux » ou plaques dans la chapelle Saint-Hilaire à Marville dans les Ardennes françaises.

2. A Toulouse, dans le cloître de l'église des Jacobins, on peut voir : *tombe de X, maître tonnelier, et sa famille.*

aussi la plaque de fondation suffisait et il n'y avait pas de « ci-gît ». Ce qui importait était le rappel de l'identité du défunt et non pas la reconnaissance du lieu exact du dépôt du corps [1].

L'étude des tombeaux confirme donc ce que nous ont appris les Jugements derniers, les *artes moriendi*, les thèmes macabres : une relation auparavant inconnue s'est établie, à partir du XIe siècle, entre la mort de chacun et la conscience qu'il prenait de son individualité. On admet aujourd'hui qu'entre l'an Mil et le XIIIe siècle « une mutation historique très importante s'est accomplie », comme le dit un médiéviste contemporain, M. Pacault : « La façon dont les hommes ont appliqué leur réflexion à ce qui les entourait et les concernait s'est profondément transformée tandis que les mécanismes mentaux — les manières de raisonner, d'appréhender les réalités con-

1. A l'église d'Andrésy, près de Pontoise, on peut voir un « tableau » dont la fonction est de rappeler les dispositions testamentaires du donateur. Sous ses armes est gravée l'inscription suivante :

« *A la gloire de Dieu, à la mémoire des cinq playes de N*[*ostre*] *S*[*eigneur*] *J*[*ésus*] *C*[*hrist*].

« *Claude Le Page, escuyer, sieur de la Chapelle, ancien conducteur de la Haquenée, chef du gobelet du Roi, ancien valet de chambre garde robe de feu Monsieur, frère unique de S*[*a*] *M*[*ajesté*] *Louis 14, lequel il a servi quatre huit années, jusqu'à son deceds et a depuis continué le même service près monsaigneur le Duc d'Orléans son fils*, a fondé à perpétuité *pour le repos de son âme, de ses parens et amis, tous les mois de l'année une messe le 6 de chaque mois en la chappelle de Saint Jean dont l'une sera haute, le jour de S*[*t.*] *Claude, auxquelles assisteront 5 pauvres et un garçon pour répondre aux dites messes, à qui les Marguilliers donneront à chacun des six 5 liards dont ils en porteront un à l'offrande.*

« *Le tout accordé par Messieurs les curés, marguilliers en charge et anciens de la paroisse S*[*t.*] *Germain d'Andrésy, ce qui est plus amplement expliqué par le contrat passé le 27 janvier 1703 par devant Me* [*maîtres*] *Bailly et Desfforges, notaires au Châtelet de Paris.*

« *Cette épitaphe a esté placée par le soin du fondateur, âgé de soixante dix-neuf ans le 24 janvier 1704.* »

Quelques mois plus tard, on ajouta « et décédé le 24 décembre de la même année ».

crètes ou abstraites et de concevoir les idées — évoluaient radicalement [1]. »

Nous saisissons ici ce changement dans le miroir de la mort : *speculum mortis*, pourrions-nous dire à la manière des auteurs du temps. Dans le miroir de sa propre mort, chaque homme redécouvrait le secret de son individualité. Et cette relation, que l'Antiquité gréco-romaine et plus particulièrement l'épicurisme avaient entrevue, qui avait été ensuite perdue, n'a cessé depuis d'impressionner notre civilisation occidentale. L'homme des sociétés traditionnelles, qui était celui du premier Moyen Age, mais qui était aussi celui de toutes les cultures populaires et orales, se résignait sans trop de peine à l'idée que nous sommes tous mortels. Depuis le milieu du Moyen Age, l'homme occidental riche, puissant ou lettré, se reconnaît lui-même dans sa mort : il a découvert *la mort de soi* [2].

1. M. Pacault, « De l'aberration à la logique : essai sur les mutations de quelques structures ecclésiastiques », *Revue historique*, vol. CCXXXII, 1972, p. 313.

2. P. Ariès, « Richesse et pauvreté devant la mort au Moyen Age », dans M. Mollat, *Études sur l'histoire de la pauvreté*, Paris, Publications de la Sorbonne, 1974, p. 510-524; voir cet article *infra*, p. 85. P. Ariès, « Huizinga et les thèmes macabres », Colloque Huizinga, Gravengage, 1973, p. 246-257; voir cet article *infra*, p. 105.

3

La mort de toi

Dans les deux précédents exposés, nous avons illustré deux attitudes devant la mort. La première, à la fois la plus ancienne, la plus longue et la plus commune, est résignation familière au destin collectif de l'espèce et peut se résumer dans cette formule : *Et moriemur*, nous mourrons tous. La deuxième, qui apparaît au XIIe siècle, traduit l'importance reconnue pendant toute la durée des temps modernes à sa propre existence et peut se traduire par cette autre formule : *la mort de soi.*

A partir du XVIIIe siècle, l'homme des sociétés occidentales tend à donner à la mort un sens nouveau. Il l'exalte, la dramatise, la veut impressionnante et accaparante. Mais, en même temps, il est déjà moins occupé de sa propre mort, et la mort romantique, rhétorique, est d'abord *la mort de l'autre;* l'autre dont le regret et le souvenir inspirent au XIXe et au XXe siècle le culte nouveau des tombeaux et des cimetières.

Un grand phénomène s'est passé entre le XVIe et le XVIIIe siècle, qu'il faut évoquer ici même si nous n'avons pas le temps de l'analyser en détail. Il ne s'est pas passé dans le monde des faits réels, agis, facilement repérables et mesurables pour l'historien. Il s'est passé dans le monde obscur et extravagant des fantasmes, dans le monde de l'imaginaire, et l'historien devrait se faire ici psychanalyste.

A partir du XVIe siècle, et même à la fin du XVe, nous voyons les thèmes de la mort se charger d'un sens érotique. Ainsi dans les danses macabres les plus anciennes, c'est à peine si la mort touchait le vif pour l'avertir et le désigner. Dans la nouvelle iconographie du XVIe siècle, elle le viole [1]. Du XVIe au XVIIIe siècle, d'innombrables scènes ou motifs, dans l'art et dans la littérature, associent la mort à l'amour, Thanatos à Éros : thèmes érotico-macabres, ou thèmes simplement morbides, qui témoignent d'une complaisance extrême aux spectacles de la mort, de la souffrance, des supplices. Des bourreaux athlétiques et nus arrachent la peau de saint Barthélemy. Quand le Bernin représente l'union mystique de sainte Thérèse et de Dieu, il rapproche inconsciemment les images de l'agonie et celles de la transe amoureuse. Le théâtre baroque installe ses amoureux dans des tombeaux, comme celui des Capulet [2]. La littérature noire du XVIIIe siècle unit le jeune moine à la belle morte qu'il veille [3].

Comme l'acte sexuel, la mort est désormais de plus en plus considérée comme une transgression qui arrache l'homme à sa vie quotidienne, à sa société raisonnable, à son travail monotone, pour le soumettre à un paroxysme et le jeter alors dans un monde irrationnel, violent et cruel. Comme l'acte sexuel chez le marquis de Sade, la mort est une rupture. Or, notons-le bien, cette idée de rupture est tout à fait nouvelle. Dans nos précédents exposés nous avons voulu au contraire insister sur la familiarité avec la mort et avec les morts. Cette familiarité n'avait pas été affectée, même chez les riches et les puissants, par la montée de la conscience individuelle depuis le XIIe siècle. La mort était devenue un événement de plus de conséquence; il convenait d'y penser plus particulièrement. Mais elle n'était devenue ni effrayante, ni obsédante. Elle restait familière, apprivoisée.

Désormais, elle est une rupture [4].

1. Voir notamment les tableaux de Hans Baldung Grien (mort en 1545), *le Chevalier, sa fiancée et la Mort*, au musée du Louvre, et *la Mort et la Jeune Femme*, au musée de Bâle.

2. J. Rousset, *La Littérature de l'âge baroque en France, Circé et le Paon*, Paris, Corti, 1954.

3. Une anecdote maintes fois citée, racontée par le Dr Louis, « Lettre sur l'incertitude des signes de la mort », 1752, reprise dans l'article de Foederé, « Signes de la mort », pour le *Dictionnaire des sciences médicales*, Paris, 1818, vol. LI.

4. G. Bataille, *L'Érotisme*, Paris, Éd. de Minuit, 1957.

Cette notion de rupture est née et s'est développée dans le monde des fantasmes érotiques. Elle passera dans le monde des faits réels et agis.

Bien entendu, elle perdra alors ses caractères érotiques, ou du moins ceux-ci seront sublimés, et réduits dans la Beauté. Le mort ne sera pas désirable, comme dans les romans noirs, mais il sera admirable par sa beauté : c'est la mort que nous appellerons romantique, de Lamartine en France, de la famille Brontë en Angleterre, de Mark Twain en Amérique.

Nous avons beaucoup de témoignages littéraires. Les *Méditations* de Lamartine sont des méditations sur la mort. Mais nous avons aussi beaucoup de mémoires et de lettres. Pendant les années 1840, une famille française, les La Ferronays, a été décimée par la tuberculose[1]. Une survivante, Pauline Craven, a publié les journaux intimes et la correspondance de ses frères, sœurs et parents, qui sont, pour la plus grande partie, des récits de maladies, d'agonies et de morts, et des réflexions sur la mort.

Certes, bien des traits rappellent les anciennes coutumes. Le cérémonial de la mort au lit, présidé par le gisant entouré d'une foule de parents et d'amis, persiste et constitue toujours le cadre de la mise en scène. Cependant il paraît tout de suite qu'il y a quelque chose de changé.

La mort au lit d'autrefois avait la solennité, mais aussi la banalité des cérémonies saisonnières. On s'y attendait et on se prêtait alors aux rites prévus par la coutume. Or, au XIXe siècle, une passion nouvelle s'est emparée des assistants. L'émotion les agite, ils pleurent, prient, gesticulent. Ils ne refusent pas les gestes dictés par l'usage, bien au contraire, mais ils les accomplissent en leur enlevant leur caractère banal et coutumier. On les décrit désormais comme s'ils étaient inventés pour la première fois, spontanés, inspirés par une douleur passionnée, unique en son genre.

Certes, l'expression de la douleur des survivants est due à une intolérance nouvelle à la séparation. Mais ce n'est pas seulement au chevet des agonisants ou au souvenir des dis-

1. P. Craven, *op. cit.*

parus qu'on est troublé. La seule idée de la mort émeut.

Une petite fille La Ferronays, une « teenager » de l'époque romantique, écrivait très naturellement des pensées de ce genre : « Mourir est une récompense, puisque c'est le ciel... L'idée favorite de toute ma vie [d'enfant est] la mort qui m'a toujours fait sourire... Rien n'a jamais pu rendre pour moi le mot de mort lugubre. »

Deux fiancés de cette même famille, qui n'ont pas vingt ans, se promènent à Rome dans les merveilleux jardins de la Villa Pamphili. « Nous causons, note le garçon dans son journal intime, pendant une heure, de religion, d'immortalité et de mort qui serait douce, disions-nous, dans ces beaux jardins. » Il ajoutait : « Je meurs jeune, je l'ai toujours désiré. » Il allait être exaucé. Quelques mois après son mariage, le mal du siècle, la tuberculose, l'emportait. Sa femme, une Allemande protestante, raconte ainsi son dernier soupir : « Ses yeux, déjà fixes, s'étaient tournés vers moi... et moi, sa femme, je sentis ce que je n'aurais jamais imaginé, *je sentis que la mort était le bonheur*. » On ose à peine lire un tel texte dans l'Amérique d'aujourd'hui. Comme la famille La Ferronays doit lui paraître « morbide »!

Et, pourtant, les choses étaient-elles si différentes dans l'Amérique de 1830? La jeune fille de quinze ans, contemporaine de la petite La Ferronays, que Mark Twain décrit dans *Huckleberry Finn*, vivait aussi dans la même obsession. Elle peignait des *mourning pictures*, des femmes pleurant sur des tombes ou lisant la lettre qui rapporte la triste nouvelle. Elle tenait aussi un journal intime, où elle recopiait le nom des morts et les accidents mortels qu'elle lisait dans le *Presbyterian Observer*, et elle ajoutait les poèmes que lui inspiraient tous ces malheurs. Elle était inépuisable : « Elle pouvait écrire à propos de n'importe quoi pourvu que ce fût triste », remarque Mark Twain en riant sous cape [1].

On sera tenté d'expliquer ce débordement d'affectivité macabre par la religion, la religion émotive du catholicisme romantique et du piétisme, du méthodisme protestant. Certes,

1. M. Twain, *Les Aventures de Huckleberry Finn*, Paris, Stock, 1961.

la religion n'y est pas étrangère, mais la fascination morbide de la mort exprime, sous une forme religieuse, la sublimation des fantasmes érotico-macabres de la période précédente.

Tel est le premier grand changement qui apparaît à la fin du XVIIIe siècle et qui est devenu l'un des traits du romantisme : la complaisance à l'idée de la mort.

Le second grand changement concerne le rapport entre le mourant et sa famille.

Jusqu'au XVIIIe siècle, la mort était l'affaire de celui qu'elle menaçait, et de lui seul. Aussi appartenait-il à chacun d'exprimer lui-même ses idées, ses sentiments, ses volontés. Pour cela, il disposait d'un instrument, le testament. Du XIIIe au XVIIIe siècle, le testament a été le moyen pour chacun d'exprimer, souvent de manière très personnelle, ses pensées profondes, sa foi religieuse, son attachement aux choses, aux êtres qu'il aimait, à Dieu, les décisions qu'il avait prises pour assurer le salut de son âme, le repos de son corps. Le testament était alors un moyen pour chaque homme d'affirmer ses pensées profondes et ses convictions, autant et plus qu'un acte de droit privé pour la transmission d'un héritage.

Le but des clauses pieuses, qui constituaient parfois la plus grande partie du testament, était d'engager publiquement l'exécuteur testamentaire, la fabrique et le curé de la paroisse ou les moines du couvent, et de les obliger à respecter les volontés du défunt.

En fait, le testament, sous cette forme, témoignait d'une méfiance, ou du moins d'une indifférence, à l'égard des héritiers, des proches parents, de la fabrique et du clergé. Par un acte déposé chez un notaire, le plus souvent signé par des témoins, le testateur forçait la volonté de son entourage, ce qui signifiait qu'il aurait, autrement, craint de n'être ni écouté ni obéi. C'est dans le même but qu'il faisait graver dans l'église, sur la pierre ou le métal, l'extrait de son testament concernant les services religieux et les legs qui les finançaient. Ces inscriptions perpétuelles sur le mur et le pilier de l'église étaient une défense contre l'oubli ou la négligence de la paroisse comme de la famille. Aussi avaient-elles plus d'importance que le « ci-gît ».

Or, dans la seconde moitié du XVIIIe siècle, un changement considérable intervint dans la rédaction des testaments. On peut admettre que ce changement a été général dans tout l'Occident chrétien, protestant ou catholique. Les clauses pieuses, les élections de sépulture, les fondations de messes et de services religieux, les aumônes disparurent, et le testament a été réduit à ce qu'il est aujourd'hui, un acte légal de distribution des fortunes. C'est un très important événement dans l'histoire des mentalités, auquel un historien français, M. Vovelle, a donné l'attention qu'il mérite [1].

Le testament a donc été complètement laïcisé au XVIIIe siècle. Comment expliquer ce phénomène? On a pensé (et c'est la thèse de M. Vovelle) que cette laïcisation était l'un des signes de la déchristianisation de la société.

Je proposerai une autre explication : le testataire a séparé ses volontés concernant la dévolution de sa fortune de celles que lui inspiraient sa sensibilité, sa piété, ses affections. Les premières étaient toujours consignées dans le testament. Les autres furent désormais communiquées oralement aux proches, à la famille, conjoint ou enfants. On ne doit pas oublier les grandes transformations de la famille qui ont abouti alors au XVIIIe siècle à des relations nouvelles fondées sur le sentiment, l'affection. Désormais, le « gisant au lit, malade » témoignait à l'égard de ses proches d'une confiance qu'il leur avait généralement refusée jusqu'à la fin du XVIIe siècle! Il n'était plus nécessaire désormais de les lier par un acte juridique.

Nous voici donc à un moment très important de l'histoire des attitudes devant la mort. En faisant confiance à ses proches, le mourant leur déléguait une partie des pouvoirs qu'il avait jalousement exercés jusqu'alors. Certes, il conservait encore l'initiative dans les cérémonies de sa mort. Il est resté, dans les récits romantiques, le principal personnage apparent d'une

1. M. Vovelle, *Piété baroque et Déchristianisation*, *op. cit.* Voir aussi, du même auteur (en collaboration avec G. Vovelle), *Vision de la mort et de l'au-delà en Provence*, Paris, Colin, « Cahiers des Annales », nº 29, 1970, et *Mourir autrefois*, Paris, Julliard-Gallimard, coll. « Archives ». 1974.

action qu'il présidait, et il en sera ainsi jusqu'au premier tiers du XXe siècle. Bien plus, comme nous venons de le dire, la complaisance romantique ajoute alors de l'emphase aux paroles et aux gestes du mourant. *Mais c'est l'attitude des assistants qui a le plus changé.* Si le mourant a gardé le rôle principal, les assistants ne sont plus les figurants de jadis, passifs, réfugiés dans la prière et qui en tout cas, du XIIIe au XVIIIe siècle, ne manifestaient plus les grandes douleurs de Charlemagne ou du roi Arthur. Depuis le XIIe siècle environ, le deuil excessif du Haut Moyen Age s'était en effet ritualisé. Il commençait seulement après la constatation de la mort et il se traduisait par un habit et des habitudes, par une durée aussi, fixés avec précision par la coutume.

Ainsi, depuis la fin du Moyen Age jusqu'au XVIIIe siècle, le deuil avait-il une double finalité. D'une part, il contraignait la famille du défunt à manifester, au moins pendant un certain temps, une peine qu'elle n'éprouvait pas toujours. Ce temps pouvait être réduit au minimum par un remariage pressé, il n'était jamais aboli. D'autre part, le deuil avait aussi pour effet de défendre le survivant sincèrement éprouvé contre les excès de sa peine. Il lui imposait un certain type de vie sociale, les visites des parents, des voisins, des amis, qui lui étaient dues et au cours desquelles la peine pouvait se libérer, sans cependant que son expression dépassât un seuil fixé par les convenances. Or, et cela est très important, au XIXe siècle, ce seuil n'a plus été respecté, le deuil s'est déployé avec ostentation au-delà des usages. Il a même affecté de ne pas obéir à une obligation mondaine, et d'être l'expression la plus spontanée et la plus insurmontable d'une très grave blessure : on pleure, on s'évanouit, on languit, on jeûne, comme jadis les compagnons de Roland ou de Lancelot. C'est comme un retour aux démonstrations excessives et spontanées — au moins en apparence — du Haut Moyen Age, par-dessus sept siècles de sobriété. Le XIXe siècle est l'époque des deuils que le psychologue d'aujourd'hui appelle *hystériques :* et il est vrai qu'ils confinent parfois à la folie, comme dans ce conte de Mark Twain, *The Californian's Tale*, daté de 1893, où un homme qui n'a jamais accepté la mort de sa femme, depuis dix-neuf ans, passe le jour anniversaire de cette mort à attendre l'impossible retour en compagnie d'amis compatissants, qui l'aident à entretenir son illusion.

Cette exagération du deuil au XIXe siècle a bien une signification. Elle veut dire que les survivants acceptent plus difficilement qu'autrefois la mort de l'autre. La mort redoutée n'est donc pas la mort de soi, mais la mort de l'autre, *la mort de toi.*

Ce sentiment est à l'origine du culte moderne des tombeaux et des cimetières, qu'il nous faut maintenant analyser. Il s'agit d'un phénomène de caractère religieux, propre à l'époque contemporaine. Son importance pourrait passer inaperçue aux Américains d'aujourd'hui, comme aux habitants de l'Europe industrielle — et protestante — du Nord-Ouest, parce qu'ils le croiraient étranger à leur culture : un Anglais ou un Américain ne manquent pas de marquer leurs distances à l'égard des excès baroques de nos architectures funéraires de France ou d'Italie. Toutefois, le phénomène, s'il est vrai qu'il s'est moins développé chez eux, ne les a pas complètement épargnés. Nous y reviendrons. Ce qu'ils ont accepté et ce qu'ils ont refusé d'une religion des morts qui s'est donné libre cours dans l'Europe catholique, orthodoxe, est intéressant à connaître.

Disons d'abord que le culte des tombeaux du XIXe et du XXe siècle n'a rien à voir avec les cultes antiques, préchrétiens, des morts, ni avec les survivances de ces pratiques dans le folklore. Rappelons ce que nous avons déjà dit du Moyen Age, de l'enterrement *ad sanctos* dans les églises ou contre les églises. Il y a eu une grande rupture entre les attitudes mentales de l'Antiquité envers les morts et celles du Moyen Age. Au Moyen Age les morts étaient confiés ou plutôt abandonnés à l'Église, et peu importait le lieu exact de leur sépulture qui, le plus souvent, n'était indiqué ni par un monument ni même par une simple inscription. Certes, depuis le XIVe siècle et surtout depuis le XVIIe, on observe un souci plus vif et plus fréquent de localiser la sépulture, et cette tendance témoigne bien d'un sentiment nouveau qui s'exprime de plus en plus, sans pouvoir s'imposer tout à fait. La visite pieuse ou mélancolique au tombeau d'un être cher était un acte inconnu.

Dans la seconde moitié du XVIIIe siècle, les choses ont changé; j'ai pu étudier en France cette évolution [1].

L'accumulation sur place des morts dans les églises ou dans les petites cours des églises devint tout d'un coup intolérable, au moins aux esprits « éclairés » des années 1760. Ce qui durait depuis près d'un millénaire sans soulever aucune réserve, n'était plus supporté et devenait l'objet de critiques véhémentes. Toute une littérature en fait état. D'une part, la santé publique était compromise par les émanations pestilentielles, les odeurs infectes provenant des fosses. D'autre part, le sol des églises, la terre saturée de cadavres des cimetières, l'exhibition des charniers violaient en permanence la dignité des morts. On reprochait à l'Église d'avoir tout fait pour l'âme et rien pour le corps, de prendre l'argent des messes et de se désintéresser des tombeaux. On rappelait l'exemple des anciens, leur piété pour les morts, attestée par les restes de leurs tombeaux, par l'éloquence de leur épigraphie funéraire. Les morts ne devaient plus empoisonner les vivants, et les vivants devaient témoigner aux morts, par un véritable culte laïque, leur vénération. Leurs tombeaux devenaient le signe de leur présence au-delà de la mort. Une présence qui ne supposait pas nécessairement l'immortalité des religions de salut comme le christianisme. Cette présence était une réponse à l'affection des survivants et à leur répugnance nouvelle à accepter la disparition de l'être cher. On se raccrochait à ses restes. On alla même jusqu'à les conserver à vue dans de grands bocaux d'alcool, comme Necker et sa femme, les parents de Mme de Staël. Certes, de telles pratiques, si elles ont été préconisées par certains auteurs de projets utopiques sur les sépultures, n'ont pas été adoptées de manière générale. Mais l'opinion commune a voulu ou bien conserver ses morts chez

1. P. Ariès, « Contribution à l'étude du culte des morts à l'époque contemporaine », *Revue des travaux de l'Académie des sciences morales et politiques*, vol. CIX, 1966, p. 25-34; voir cet article *infra*, p. 155.

soi en les enterrant dans la propriété de famille, ou bien pouvoir les visiter s'ils étaient inhumés dans un cimetière public. Et pour pouvoir les visiter, ils devaient être chez eux, ce qui n'était pas le cas dans la pratique funéraire traditionnelle, où ils étaient à l'Église. On était autrefois enterré devant l'image de Notre-Dame, ou dans la chapelle du Saint-Sacrement. On voulait maintenant se rendre au lieu exact où le corps avait été déposé et on voulait que ce lieu appartienne en toute propriété au défunt et à sa famille. C'est alors que la concession de sépulture est devenue une certaine forme de propriété, soustraite au commerce, mais assurée de la perpétuité. C'est une très grande innovation. On va donc visiter le tombeau d'un être cher comme on va chez un parent ou dans une maison à soi, pleine de souvenirs. Le souvenir confère au mort une sorte d'immortalité, étrangère au début au christianisme. Dès la fin du XVIIIe siècle, mais encore en plein XIXe et XXe siècles français, anticléricaux et agnostiques, les incroyants seront les visiteurs les plus assidus des tombes de leurs parents. La visite au cimetière a été — et est encore — en France et en Italie le grand acte permanent de religion. Ceux qui ne vont pas à l'église vont toujours au cimetière où on a pris l'habitude de fleurir les tombes. Ils s'y recueillent, c'est-à-dire qu'ils évoquent le mort et cultivent son souvenir.

Culte privé donc, mais aussi dès l'origine, culte public. Le culte du souvenir s'est tout de suite étendu de l'individu à la société, à la suite d'un même mouvement de la sensibilité. Les auteurs de projets de cimetière du XVIIIe siècle souhaitent que les cimetières soient à la fois des parcs organisés pour la visite familiale, et aussi des musées d'hommes illustres, comme la cathédrale Saint-Paul à Londres [1]. Les tombes des héros et des grands hommes y seraient vénérées par l'État. C'est une conception différente de celle des chapelles ou des caveaux dynastiques, comme Saint-Denis, Westminster,

1. Projets soumis au procureur général du parlement de Paris après l'édit de 1776 désaffectant les anciens cimetières et ordonnant leur transfert en dehors de la ville; documents de Joly de Fleury, Bibliothèque nationale, ms. fr. 1209, folios 62-87.

l'Escorial ou les Capucins de Vienne. Une représentation nouvelle de la société naît en cette fin du XVIIIe siècle, qui se développera au XIXe, et qui trouvera son expression dans le positivisme d'Auguste Comte, forme savante du nationalisme. On pense, et même on sent, que la société est composée à la fois des morts et des vivants, et que les morts sont aussi significatifs et nécessaires que les vivants. La cité des morts est l'envers de la société des vivants, ou, plutôt que l'envers, son image, et son image *intemporelle*. Car les morts ont passé le moment du changement et leurs monuments sont les signes visibles de la pérennité de la cité. Ainsi le cimetière a-t-il repris dans la ville une place, à la fois physique et morale, qu'il avait perdue au début du Moyen Age, mais qu'il avait occupée pendant l'Antiquité. Que saurions-nous des civilisations antiques sans les objets, les inscriptions et l'iconographie que les archéologues ont trouvés dans les fouilles des tombeaux? Nos sépultures sont vides, mais nos cimetières sont devenus éloquents. C'est un fait de civilisation et de mentalité très important.

Depuis le début du XIXe siècle, on envisageait de désaffecter les cimetières parisiens gagnés par l'expansion urbaine et de les transférer hors de la ville. L'administration de Napoléon III voulut mettre à exécution ce projet. Elle pouvait se réclamer d'un précédent : à la fin du règne de Louis XVI, le vieux cimetière des Innocents, qui servait depuis plus de cinq siècles, avait été rasé, labouré, défoncé, reconstruit dans la plus grande indifférence de la population. Mais, dans la seconde moitié du XIXe siècle, les mentalités avaient changé : toute l'opinion se dressa contre les projets sacrilèges de l'administration, une opinion unanime où les catholiques retrouvaient leurs ennemis positivistes. La présence du cimetière paraissait désormais nécessaire à la cité. Le culte des morts est aujourd'hui l'une des formes ou l'une des expressions du patriotisme. Aussi l'anniversaire de la Grande Guerre, de sa conclusion victorieuse est-il en France considéré comme la fête des soldats morts. On la commémore devant le monument aux morts, qui existe dans chaque village français, si petit soit-il. Sans monument aux morts, on ne peut pas célébrer la Victoire.

Dans les villes neuves, créées par le développement industriel récent, l'absence de monument aux morts faisait donc question. On s'en tira en annexant moralement celui du petit village voisin, déserté [1]. C'est que ce monument est bien un tombeau, sans doute vide, mais qui fait mémoire : un *monumentum.*

Nous arrivons maintenant à un moment de cette longue évolution où nous devons faire une pause et introduire un nouveau facteur. Nous avons suivi des variations dans le temps, un temps long, mais tout de même changeant. Nous n'avons guère, sauf sur des points de détail, fait intervenir de variations dans l'espace. On peut dire que les phénomènes que nous étudions ont été à peu près les mêmes dans toute la civilisation occidentale. Or, au cours du XIXe siècle, cette similitude des mentalités s'altère et des différences importantes apparaissent. Nous voyons l'Amérique du Nord, l'Angleterre et une partie de l'Europe du Nord-Ouest se séparer de la France, de l'Allemagne, de l'Italie. En quoi consiste cette différenciation et quel est son sens?

Au XIXe siècle, et jusqu'à la guerre de 1914 (une grande révolution des mœurs), la différence n'apparaît guère ni dans le protocole des funérailles ni dans les habitudes du deuil. Mais c'est dans les cimetières et l'art des tombeaux qu'on la constate. Nos amis anglais ne manquent pas de nous faire remarquer, à nous autres continentaux, l'extravagance baroque des cimetières, le Campo Santo de Gênes, les cimetières anciens du XIXe siècle de nos grandes villes françaises, aux tombes surmontées de statues qui s'agitent, s'étreignent, se lamentent. Aucun doute qu'une grande différence s'est alors installée.

On est parti, à la fin du XVIIIe siècle, d'un modèle commun. Le cimetière anglais d'aujourd'hui ressemble beaucoup à ce qu'avait été le cimetière français lorsque, à la fin du XVIIIe siècle, on interdit d'enterrer dans les églises et même dans les villes, tel que nous le retrouvons intact de ce côté de

1. Le cas de Lacq, près de Pau, étudié par H. Lefebvre.

l'Atlantique, par exemple à Alexandria (Virginie) : un morceau de campagne et de nature, un joli jardin anglais, parfois encore à côté de l'église, mais pas nécessairement, au milieu de l'herbe, de la mousse et des arbres. Les tombes de cette époque étaient une combinaison des deux éléments qui avaient été jusque-là utilisés séparément : la « plate tombe » horizontale, sur le sol, et le « ci-gît » ou le tableau de fondation, destiné à être fixé verticalement à un mur ou à un pilier. En France, dans les quelques cimetières de la fin du XVIIIe siècle qui existent encore, les deux éléments sont juxtaposés. En Angleterre et dans l'Amérique coloniale, l'élément vertical a été le plus souvent le seul conservé, sous forme d'une stèle, et l'élément horizontal était remplacé par un massif de gazon, marquant l'emplacement de la tombe, dont le pied était parfois indiqué par une petite borne de pierre.

L'inscription à la fois biographique et élégiaque était le seul luxe de ces sépultures qui affectaient la simplicité. Celle-ci n'était rompue que dans des cas exceptionnels : défunts illustres dont la destinée était donnée en exemple dans une nécropole nationale, morts dramatiques et extraordinaires. Ce cimetière était l'aboutissement d'une recherche de simplicité qu'on peut suivre, sous des formes diverses, dans toute la civilisation occidentale, même dans la Rome des papes où persistent les habitudes baroques.

Cette simplicité n'impliquait aucune désaffection, au contraire. Elle s'adaptait très bien à la mélancolie du culte romantique des morts. C'est en Angleterre que ce culte a trouvé son premier poète : l'*Élégie écrite dans un cimetière de campagne* de Thomas Gray : *The Elegy!* Elle fut traduite en français, en particulier par André Chénier, et servit de modèle.

C'est en Amérique, à Washington, plus encore qu'au Panthéon de Paris, que nous trouvons les premières manifestations impressionnantes du culte funéraire du héros national. Dans le centre historique de la ville, rempli de monuments commémoratifs tels que ceux de Washington, de Jefferson et de Lincoln, qui sont des tombeaux vides, le visiteur européen d'aujourd'hui rencontre un autre étrange paysage : le cimetière d'Arlington, où le caractère national et public est associé au cadre du jardin privé de la maison de Lee-Custis. Et cependant, si surprenant qu'il apparaisse à l'Européen moderne, le paysage civique et funéraire d'Arlington et du Mall provient du même sentiment qui a multiplié les monuments aux morts dans la France des années 1920.

Donc, le point de départ, à la fin du XVIIIe siècle et au début du XIXe siècle, est le même, quelles que soient les différences entre le catholicisme et le protestantisme.

Les États-Unis et l'Europe du Nord-Ouest resteront plus ou moins fidèles à ce modèle ancien, vers lequel convergeaient les sensibilités du XVIIIe siècle. C'est au contraire l'Europe continentale qui s'en est éloignée et qui a construit pour ses morts des monuments de plus en plus compliqués et figuratifs.

Une coutume américaine, si on l'étudiait avec attention, nous mettrait peut-être sur la voie d'une explication : les *mourning pictures*. On en voit dans les musées : lithographies ou broderies destinées à orner la maison. Elles jouent l'un des rôles du tombeau, le rôle de mémorial : une sorte de petit tombeau portatif, adapté à la mobilité américaine. De même, au musée du Yorkshire en Angleterre, voit-on des mémentos victoriens qui sont des reproductions de chapelles funéraires néo-gothiques : ces chapelles qui justement ont servi de modèle aux constructeurs français de tombes à la même époque. Comme si Anglais et Américains avaient alors figuré sur le papier ou sur la soie — supports éphémères — ce que les Européens du continent ont représenté sur la pierre des tombeaux.

On est évidemment tenté d'attribuer cette différence à celle des religions, à l'opposition du protestantisme et du catholicisme.

Cette explication paraît suspecte à l'historien, au moins au premier examen. En effet, la séparation du concile de Trente est bien antérieure à ce divorce des attitudes funéraires. Pendant tout le XVIIe siècle, on inhumait exactement de la même façon (à la liturgie près, bien entendu) dans l'Angleterre de Samuel Pepys ou dans la Hollande des peintres d'intérieur d'église, et dans nos églises de France et d'Italie. Les attitudes mentales étaient les mêmes.

Il y a cependant quelque chose de vrai dans l'explication par la religion si on constate qu'au cours du XIXe siècle le catholicisme a développé des expressions sentimentales, émouvantes, dont il s'était éloigné au XVIIIe siècle, après la grande rhétorique baroque : une sorte de néo-baroquisme romantique, très différent de la religion réformée et épuratrice des XVIIe et XVIIIe siècles.

Toutefois, nous ne devons pas oublier ce que nous disions tout à l'heure, que le caractère exalté et émouvant du culte des morts n'est pas d'origine chrétienne. Il est d'origine positiviste, et les catholiques s'y sont ensuite ralliés et l'ont d'ailleurs si parfaitement assimilé qu'ils l'ont cru bientôt indigène.

Ne doit-on pas plutôt mettre en cause les caractères de l'évolution socio-économique au XIXe siècle? Plus que la religion, ce serait alors le taux d'industrialisation et d'urbanisation qui interviendrait. Les attitudes funéraires néo-baroques se seraient développées dans des cultures où, même dans les villes et les grandes villes, les influences rurales ont persisté et n'ont pas été effacées par une croissance économique moins rapide. La question reste posée. Il me semble qu'elle devrait intéresser les historiens des mentalités américaines.

En tout cas une ligne de rupture s'est manifestée, et elle va rejouer vers le milieu du XXe siècle; le grand refus de la mort du XXe siècle est incompréhensible si on n'en tient pas compte, car ce n'est que d'un côté seulement de cette frontière qu'il est né et s'est développé.

4

La mort interdite

Pendant la longue période que nous avons parcourue, depuis le Haut Moyen Age jusqu'au milieu du XIXe siècle, l'attitude devant la mort a changé, mais si lentement que les contemporains ne s'en sont pas aperçu. Or, depuis environ un tiers de siècle, nous assistons à une révolution brutale des idées et des sentiments traditionnels; si brutale qu'elle n'a pas manqué de frapper les observateurs sociaux. C'est un phénomène en réalité absolument inouï. La mort, si présente autrefois, tant elle était familière, va s'effacer et disparaître. Elle devient honteuse et objet d'interdit [1].

Cette révolution s'est faite dans une aire culturelle bien définie, que nous avons dessinée dans notre dernier exposé : là où le culte des morts et des cimetières n'a pas connu au XIXe siècle le grand développement constaté en France, en Italie, en Espagne... Il semble même qu'elle ait commencé en Amérique, pour s'étendre à l'Angleterre, aux Pays-Bas, à l'Europe industrielle, et nous la voyons aujourd'hui, sous nos yeux, gagner la France et faire tache d'huile.

Sans doute, à l'origine, trouve-t-on un sentiment déjà exprimé dans la seconde moitié du XIXe siècle : l'entourage du mourant a tendance à l'épargner et à lui cacher la gravité de son état; on admet toutefois que la dissimulation ne peut pas durer trop longtemps (sauf des cas extraordinaires comme celui que Mark Twain a décrit en 1902 dans *Was it Heaven or Hell?*), le mourant doit un jour savoir, mais alors les parents n'ont plus le courage cruel de dire eux-mêmes la vérité.

Bref, la vérité commence à faire question.

1. P. Ariès, « La mort inversée », *Archives européennes de sociologie*, vol. VIII, 1967, p. 169-195; voir cet article *infra*, p. 177.

La première motivation du mensonge a été le désir d'épargner le malade, de prendre en charge son épreuve. Mais, très tôt, ce sentiment dont l'origine nous est connue (l'intolérance à la mort de l'autre et la confiance nouvelle du mourant dans son entourage) a été recouvert par un sentiment différent, caractéristique de la modernité : éviter, non plus au mourant, mais à la société, à l'entourage lui-même le trouble et l'émotion trop forte, insoutenable, causés par la laideur de l'agonie et la simple présence de la mort en pleine vie heureuse, car il est désormais admis que la vie est toujours heureuse ou doit toujours en avoir l'air. Rien n'est encore changé dans les rites de la mort qui sont conservés au moins dans leur apparence, et on n'a pas encore l'idée de les changer. Mais on a déjà commencé à les vider de leur charge dramatique, le procédé d'escamotage a commencé. Il est très perceptible dans les récits de la mort chez Tolstoï.

Entre 1930 et 1950, l'évolution va se précipiter. Cette accélération est due à un phénomène matériel important : le déplacement du lieu de la mort. On ne meurt plus chez soi au milieu des siens, on meurt à l'hôpital, et seul.

On meurt à l'hôpital parce que l'hôpital est devenu l'endroit où on donne des soins qu'on ne peut plus donner à la maison. Il était autrefois l'asile des misérables, des pèlerins; il est d'abord devenu un centre médical où on guérit et où on lutte contre la mort. Il a toujours cette fonction curative, mais on commence aussi à considérer un certain type d'hôpital comme le lieu privilégié de la mort. On est mort à l'hôpital parce que les médecins n'ont pas réussi à guérir. On vient ou on viendra à l'hôpital non plus pour guérir, mais précisément pour mourir. Les sociologues américains ont constaté qu'il y avait aujourd'hui deux types de grands malades [1] : les plus archaïques, immigrés récents, encore attachés aux traditions de la mort, qui s'efforcent d'arracher le malade de l'hôpital pour qu'il meure chez lui, *more majorum*, et, d'autre part, les plus engagés dans la modernité qui viennent mourir à l'hôpi-

1. B. G. Glaser et A. L. Strauss, *Awareness of Dying*, Chicago Aldine, 1965. Voir *infra*, p. 186 *sq*.

tal, parce qu'il est devenu inconvenant de mourir chez soi.

La mort à l'hôpital n'est plus l'occasion d'une cérémonie rituelle que le mourant préside au milieu de l'assemblée de ses parents et amis et que nous avons plusieurs fois évoquée. La mort est un phénomène technique obtenu par l'arrêt des soins, c'est-à-dire, de manière plus ou moins avouée, par une décision du médecin et de l'équipe hospitalière. Il y a bien longtemps d'ailleurs, dans la plupart des cas, que le mourant a perdu conscience. La mort a été décomposée, morcelée en une série de petites étapes dont, en définitive, on ne sait laquelle est la mort vraie, celle où on a perdu la conscience, ou bien celle où on a perdu le souffle... Toutes ces petites morts silencieuses ont remplacé et effacé la grande action dramatique de la mort, et plus personne n'a la force ou la patience d'attendre pendant des semaines un moment qui a perdu une partie de son sens.

A partir de la fin du XVIIIe siècle, nous avions l'impression qu'un glissement sentimental faisait passer l'initiative du mourant lui-même à sa famille — une famille dans laquelle il avait désormais toute confiance. Aujourd'hui, l'initiative est passée de la famille, aussi aliénée que le mourant, au médecin et à l'équipe hospitalière. Ce sont eux les maîtres de la mort, du moment et aussi des circonstances de la mort, et on a constaté qu'ils s'efforçaient d'obtenir de leur malade un *acceptable style of living while dying*, un *acceptable style of facing death*. L'accent est mis sur « acceptable ». Une mort acceptable est une mort telle qu'elle puisse être acceptée ou tolérée par les survivants. Elle a son contraire : l'*embarrassingly graceless dying* qui met dans l'embarras les survivants, parce qu'elle déclenche une trop forte émotion, et l'émotion est ce qu'il faut éviter tant à l'hôpital que partout dans la société. On n'a le droit de s'émouvoir qu'en privé, c'est-à-dire en cachette.

Voilà ce qu'est devenue la grande scène de la mort qui avait si peu changé pendant des siècles, sinon des millénaires. Les rites des funérailles ont été aussi modifiés. Laissons de côté pour l'instant le cas américain sur lequel nous reviendrons. Ailleurs, dans la zone de la mort nouvelle et moderne, on cherche à réduire au minimum décent les opérations inévitables destinées à faire disparaître le corps. Il importe avant tout que la société, le voisinage, les amis, les collègues, les enfants s'aperçoivent le moins possible que la mort a passé. Si quelques formalités sont maintenues, et si une cérémonie marque encore le départ, elles doivent rester discrètes et éviter tout prétexte à une quelconque émotion : c'est ainsi que les condoléances à la famille sont maintenant supprimées à la fin des services d'enterrement. Les manifestations apparentes du deuil sont condamnées et disparaissent. On ne porte plus de vêtements sombres, on n'adopte plus une apparence différente de celle de tous les autres jours.

Une peine trop visible n'inspire pas la pitié, mais une répugnance; c'est un signe de dérangement mental ou de mauvaise éducation; c'est *morbide*. A l'intérieur du cercle familial, on hésite encore à se laisser aller, de peur d'impressionner les enfants. On n'a le droit de pleurer que si personne ne vous voit ni ne vous entend : le deuil solitaire et honteux est la seule ressource, comme une sorte de masturbation — la comparaison est de Gorer.

Une fois le mort évacué, il n'est plus question de visiter sa tombe. Dans des pays où la révolution de la mort est radicale, en Angleterre par exemple, l'incinération devient le mode dominant de sépulture. Quand l'incinération prévaut, parfois avec dispersion des cendres, les causes ne sont pas seulement une volonté de rupture avec la tradition chrétienne, une manifestation d'*enlightenment*, de modernité; la motivation profonde est que l'incinération est interprétée comme le moyen le plus radical de faire disparaître et oublier tout ce qui peut rester du corps, de l'annuler : *too final*. Malgré les efforts des administrations des cimetières, on ne visite guère les urnes aujourd'hui, alors qu'on visite encore les tombes à inhumation. L'incinération exclut le pèlerinage.

On se tromperait du tout au tout si on attribuait cette fuite devant la mort à une indifférence à l'égard des morts. En réalité, c'est le contraire qui est vrai. Dans l'ancienne société, les éclats du deuil dissimulaient à peine une résignation rapide : que de veufs se remariaient quelques mois à peine après la mort de leur femme. Au contraire, aujourd'hui où le deuil est interdit, on a constaté que la mortalité des veufs ou veuves dans l'année suivant la mort du conjoint était beaucoup plus forte que celle de l'échantillon témoin du même âge.

On en vient même à croire, depuis les observations de Gorer, que le refoulement de la peine, l'interdiction de sa manifestation publique, l'obligation de souffrir seul et en cachette aggravent le traumatisme dû à la perte d'un être cher. Dans une famille où le sentiment est valorisé, où la mort prématurée devient plus rare (sauf cas d'accident de la route), la mort d'un proche est toujours profondément ressentie, comme à l'époque romantique.

« Un seul être vous manque et tout est dépeuplé. »

Mais on n'a plus le droit de le dire tout haut.

L'ensemble des phénomènes que nous venons d'analyser n'est autre chose que la mise en place d'un interdit : ce qui était autrefois commandé est désormais défendu.

Le mérite d'avoir dégagé le premier cette loi non écrite de notre civilisation industrielle revient au sociologue anglais Geoffrey Gorer [1]. Il a bien montré comment la mort est devenue un tabou et comment, au XXe siècle, elle a remplacé le sexe comme principal interdit. On disait autrefois aux enfants qu'ils naissaient dans un chou, mais ils assistaient à la grande scène des adieux au chevet du mourant. Aujourd'hui, ils sont initiés dès le plus jeune âge à la physiologie de l'amour, mais, quand ils ne voient plus leur grand-père et s'en étonnent, on leur dit qu'il repose dans un beau jardin parmi les fleurs : « The Pornography of Death » — titre d'un article précurseur de Gorer publié en 1955 [2]. Plus la société relâchait les contraintes victoriennes sur le sexe, plus elle rejetait les choses de la

1. G. Gorer, *op. cit.*
2. G. Gorer, « The Pornography of Death », *Encounter*, oct. 1955. Cet article a été repris en appendice de son dernier livre, *Death, Grief and Mourning*, New York, Doubleday, 1963. Voir *infra*, p. 193 *sq*.

mort. Et, en même temps que l'interdit, apparaît la transgression : dans la littérature maudite, reparaît le mélange d'érotisme et de mort — recherché du XVIe au XVIIIe siècle —, et, dans la vie quotidienne, la mort violente.

L'établissement d'un interdit a un sens profond. Il n'est pas facile de dégager le sens de l'interdit du sexe qu'imposait depuis longtemps, mais sans l'avoir jamais alourdi comme au XIXe siècle, la confusion chrétienne du péché et de la sexualité. Au contraire, l'interdit de la mort succède tout d'un coup à une très longue période de plusieurs siècles, où la mort était un spectacle public auquel nul n'aurait eu l'idée de se dérober, et qu'il arrivait qu'on recherchât. Quel rapide renversement!

Une causalité immédiate apparaît tout de suite : la nécessité du bonheur, le devoir moral et l'obligation sociale de contribuer au bonheur collectif en évitant toute cause de tristesse ou d'ennui, en ayant l'air d'être toujours heureux, même si on est au fond de la détresse. En montrant quelque signe de tristesse, on pèche contre le bonheur, on le remet en question, et la société risque alors de perdre sa raison d'être.

Dans un livre qui s'adressait aux Américains, paru en 1958, Jacques Maritain [1] évoquait l'inaltérable optimisme des dentistes d'une petite ville des États-Unis : « Vous en venez à penser, dans une sorte de rêve, que le fait de mourir parmi des sourires heureux, des habits blancs comme des ailes d'ange serait un véritable plaisir, ‘ *a moment of no consequence. Relax*, *take it easy*, *it's nothing*'. »

L'idée du bonheur nous ramène en Amérique, et il convient maintenant d'essayer de comprendre les relations entre la civilisation américaine et l'attitude moderne devant la mort.

Il semble bien que l'attitude moderne devant la mort, c'est-à-dire l'interdiction de la mort afin de préserver le bonheur, soit née aux États-Unis vers le début du XXe siècle. Cependant, sur sa terre natale, l'interdit n'a pas été jusqu'au

1. J. Maritain, *Réflexions sur l'Amérique*, Paris, Fayard, 1959.

bout de ses conséquences. Dans la société américaine, il a rencontré des freins qui n'ont pas joué en Europe et des limites qui ont été ailleurs dépassées. L'attitude américaine devant la mort apparaît donc aujourd'hui comme un compromis étrange entre des courants qui la sollicitaient dans deux sens presque opposés.

Les réflexions qui vont suivre sur ce sujet ont été inspirées par une documentation très pauvre; c'est seulement sur place qu'on pourrait les pousser plus loin. On se contentera de poser le problème en souhaitant commentaires, corrections et critiques des historiens américains.

Quand j'ai lu pour la première fois G. Gorer, J. Mitford, H. Feifel [1], etc., il m'a semblé retrouver dans l'Amérique d'aujourd'hui des traits de mentalité de la période des Lumières en France.

Forest Lawn, moins futuriste que ne le croyait Evelyn Waugh [2], me rappelait les descriptions de cimetières rêvées par les auteurs de projets français de la fin du XVIIIe siècle, qui n'ont pas vu le jour à cause de la Révolution et qu'ont remplacés, au début du XIXe siècle, les architectures plus déclamatoires et figuratives du romantisme. Tout se passait comme si l'intermède du romantisme n'avait pas existé aux États-Unis, et comme si la mentalité des Lumières du XVIIIe siècle avait persisté sans interruption.

Cette première impression, cette première hypothèse était fausse. Elle faisait bon marché du puritanisme américain, incompatible avec la confiance en l'homme, en sa bonté, en son bonheur. D'excellents historiens américains me l'ont fait alors remarquer et je l'admets bien volontiers. Toutefois, la ressemblance entre une partie de l'attitude américaine devant la mort aujourd'hui et celle de l'Europe éclairée du XVIIIe siècle n'en est pas moins troublante. Il faut cependant bien

1. J. Mitford, *The American Way of Death*, New York, Simon and Schuster, 1963; trad. franç. par J. Parsons, *la Mort à l'américaine*, Paris, Plon, 1965. H. Feifel *et al.*, *The Meaning of Death*, New York, McGraw Hill, 1959.

2. E. Waugh, *The Loved One*, Londres, Chapman and Hall, 1950; trad. franç. par D. Aury, *Ce cher disparu*, Paris, Laffont, 1949.

admettre que les phénomènes mentaux que nous venons de reconnaître sont beaucoup plus tardifs. Au XVIIIe siècle et pendant la première moitié du XIXe siècle, et plus tard encore, surtout à la campagne, les enterrements américains étaient conformes à la tradition : le menuisier préparait le cercueil (le *coffin*, pas encore le *casket*), la famille et les amis assuraient le transport et le convoi ; le pasteur et le sacristain, le fossoyeur faisaient le service. La fosse était, encore au début du XIXe siècle, quelquefois creusée dans la propriété — ce qui est un trait de modernité, imité des Anciens, inconnu avant le milieu du XVIIIe siècle en Europe et abandonné très vite. La plupart du temps, dans les villages et dans les petites villes, le cimetière était à côté de l'église ; dans les villes, toujours comme en Europe, il avait été localisé vers 1830 hors de la ville, mais, gagné par l'extension urbaine, il fut alors abandonné vers 1870 au profit d'un autre site ; il tombait bientôt en ruine et Mark Twain nous raconte comment les squelettes le quittaient la nuit, emportant ce qui restait de leur tombe (« A Curious Dream », 1870).

Les vieux cimetières étaient propriété d'église, comme autrefois en Europe et comme c'est encore le cas en Angleterre ; les nouveaux cimetières appartenaient à des associations privées, comme en rêvaient les auteurs français de projets du XVIIIe siècle, mais en vain puisqu'en Europe les cimetières sont devenus municipaux, c'est-à-dire publics, et ne sont jamais laissés à l'initiative privée.

Dans les villes en croissance du XIXe siècle, d'anciens menuisiers ou fossoyeurs, ou des propriétaires de chars et de chevaux devenaient des « entrepreneurs » *(undertakers)*, c'est-à-dire que la manipulation des morts y devenait une profession. L'histoire ici est encore tout à fait comparable à celle de l'Europe, du moins de cette partie de l'Europe restée fidèle aux canons de simplicité du XVIIIe siècle et demeurée à l'écart de l'emphase romantique.

Les choses ont l'air d'avoir changé à l'époque de la guerre de Sécession [1]. Les *morticians* d'aujourd'hui qui font remon-

1. J. Mitford, *op. cit.*

ter jusqu'à cette période leurs lettres de noblesse, citent comme leur ancêtre un faux docteur renvoyé de l'École de médecine, le Dr Holmes, qui avait la passion de la dissection et des cadavres. Il offrit ses services aux familles des victimes et embauma, dit-on, 4 000 cadavres à lui tout seul en quatre ans. Ce n'est pas mal pour l'époque. Pourquoi un tel recours alors à l'embaumement? Avait-il été pratiqué auparavant? Est-ce qu'une tradition remontait au XVIIIe siècle, époque où dans toute l'Europe il existait une mode de l'embaumement? Mais cette mode a été abandonnée au XIXe siècle en Europe, et les guerres ne l'ont pas fait revivre. Il est remarquable que l'embaumement soit devenu une carrière aux États-Unis avant la fin du siècle, même s'il n'était pas encore très répandu. On cite le cas de Elizabeth « Ma » Green, née en 1884, qui commença toute jeune à aider l'entrepreneur de sa petite ville; à 20 ans, elle était *licensed embalmer* et fit carrière dans ce métier jusqu'à sa mort. En 1900, l'embaumement apparaît en Californie [1]. On sait qu'il est devenu aujourd'hui une forme très répandue de préparation des morts, quasi inconnue en Europe et caractéristique de l'*american way of death* [2].

On ne peut se défendre de penser que cette préférence reconnue depuis longtemps à l'embaumement a un sens, même s'il est difficile à interpréter.

Ce sens pourrait bien être celui d'un certain refus d'admettre la mort, soit comme une fin familière à laquelle on est résigné, soit comme un signe dramatique à la manière romantique. Et ce sens va devenir d'autant plus apparent que la mort est objet de commerce et de profit. On ne vend pas bien ce qui n'a pas de valeur parce que trop familier et commun, ni ce qui fait peur, horreur ou peine. Pour vendre la mort, il faut la rendre aimable, mais on peut admettre que les *funeral directors*, nom nouveau, depuis 1885, des *undertakers*, n'auraient pas rencontré de succès si l'opinion n'avait été un peu complice.

1. Il ne s'agit pas de l'embaumement destiné à rendre le corps imputrescible, mais d'un procédé de conservation temporaire pour prolonger quelque temps l'apparence de la vie.

2. J. Mitford, *op. cit.*

Ils se présentent non pas comme simples vendeurs de service, mais comme des *doctors of grief* qui ont une mission, tels les médecins et les prêtres, et cette mission, dès le début de ce siècle, consiste à aider les survivants endeuillés à revenir à la normale. Le nouveau *funeral director* (nouveau parce qu'il a remplacé le simple *undertaker*) est un *doctor of grief, an expert in returning abnormal minds to normal in the shortest possible time, member of an exalted, almost sacred calling* [1].

Le deuil n'est donc plus un temps nécessaire et dont la société impose le respect, il est devenu un état morbide qu'il faut soigner, abréger, effacer.

Nous voyons naître et se développer par une série de petites touches les idées qui aboutiront à l'interdit actuel, fondé sur les ruines du puritanisme, dans une culture urbanisée que dominent la recherche du bonheur liée à celle du profit, et une croissance économique rapide.

Alors nous devrions normalement aboutir à la situation de l'Angleterre d'aujourd'hui, telle qu'elle est décrite, par exemple, par G. Gorer, c'est-à-dire à la suppression quasi radicale de tout ce qui rappelle la mort.

Or, et c'est là l'originalité de l'attitude américaine, les mœurs américaines ne sont pas allées aussi loin, elles se sont arrêtées en chemin. On veut bien transformer la mort, la maquiller, la sublimer, mais on ne veut pas la faire disparaître. Évidemment, ce serait aussi la fin du profit, mais les prélèvements élevés des marchands de funérailles ne seraient pas tolérés s'ils ne répondaient à quelque besoin profond. La veillée du mort, escamotée de plus en plus dans l'Europe industrielle, persistera : c'est le *viewing the remains*. « *They don't* view *bodies in England* [2]. »

La visite au cimetière et une certaine vénération à l'égard du tombeau subsisteront aussi. C'est pourquoi l'opinion — et les *funeral directors* — répugnent à l'incinération, qui fait disparaître les restes trop vite et trop radicalement *(too final)*.

Les enterrements ne sont pas honteux, et on ne les cache pas.

1. D'après J. Mitford, *op. cit.*
2. *Ibid.*

Avec ce mélange très caractéristique de commerce et d'idéalisme, ils font l'objet d'une publicité voyante, comme n'importe quel autre objet de consommation, un savon ou une religion. J'ai vu, par exemple, dans les autobus de New York en 1965 : *The dignity and integrity of a Gawler. Funeral costs no more... Easy access, private parking for over 100 cars.* Les *funeral homes* sont annoncées sur les routes ou les rues par une publicité voyante et « personnalisée » (avec le portrait du directeur).

On doit donc admettre qu'une résistance traditionnelle a maintenu des rites particuliers de la mort qui ont été abandonnés ou sont en voie d'abandon dans l'Europe industrielle et surtout dans les classes moyennes.

Toutefois, si ces rites ont été maintenus, ils ont été aussi transformés. L'*american way of death* est la synthèse de deux tendances, l'une traditionnelle, l'autre euphorique.

Ainsi, pendant les veillées ou visites d'adieu qui ont été conservées, les visiteurs viennent sans honte ni répugnance : c'est qu'à vrai dire ils ne s'adressent pas à un mort, comme dans la tradition, mais à un presque-vivant qui, grâce à l'embaumement, est toujours présent, comme s'il vous attendait pour vous recevoir ou vous emmener à la promenade. Le caractère définitif de la rupture est gommé. La tristesse et le deuil ont été bannis de cette réunion apaisante.

C'est peut-être parce que la société américaine n'a pas accepté totalement l'interdit qu'elle peut plus facilement le mettre en question, alors qu'il s'étend ailleurs, dans les vieux pays où le culte des morts paraît pourtant enraciné.

Dans les dix dernières années, des publications américaines de plus en plus nombreuses de sociologues et de psychologues portent sur les conditions de la mort dans la société contemporaine et plus particulièrement dans les hôpitaux [1]. La

1. *The Dying Patient*, New York, Russel Sage Fondation, 1970, ouvrage collectif sous la direction de O. G. Brim, compte une bibliographie de 340 titres récents. Elle ne fait mention d'aucun ouvrage sur les funérailles, les cimetières, le deuil ou le suicide.

bibliographie de *The Dying Patient* laisse de côté les conditions actuelles des funérailles et du deuil. Celles-ci sont jugées satisfaisantes. En revanche, les auteurs ont été frappés par la manière de mourir, par l'inhumanité, la cruauté de la mort solitaire dans des hôpitaux et dans une société où le mort a perdu la place éminente que la coutume lui a reconnue pendant des millénaires, où l'interdit sur la mort paralyse, inhibe les réactions de l'entourage médical et familial. Ils sont aussi préoccupés du fait que la mort devient l'objet d'une décision volontaire des médecins, de la famille, décision aujourd'hui honteuse, clandestine. Et cette littérature paramédicale, dont on ne trouve pas encore l'équivalent en Europe, ramène la mort dans le discours d'où elle avait été chassée. La mort redevient une chose dont on parle. L'interdit est aussi menacé, mais seulement là où il est né et où il a rencontré des limites. Ailleurs, dans les autres sociétés industrielles, il maintient ou étend son empire.

Conclusion

Essayons maintenant, en guise de conclusion, de comprendre le sens général des changements que nous avons repérés et analysés.

Nous avons d'abord rencontré un sentiment très ancien et très durable, et très massif, de familiarité avec la mort, sans peur ni désespoir, à mi-chemin entre la résignation passive et la confiance mystique.

Par la mort, plus encore que par les autres temps forts de l'existence, le Destin se révèle, et le mourant alors l'accepte dans une cérémonie publique dont le rite est fixé par l'usage. La cérémonie de la mort est alors au moins aussi importante que celle des funérailles et du deuil. La mort est reconnaissance par chacun d'un *Destin* où sa propre personnalité n'est pas anéantie, certes, mais est endormie — *requies*. Cette *requies* suppose une survie, mais amortie, affaiblie — la survie grise des ombres ou des larves du paganisme, celle des revenants du christianisme ancien et populaire. Cette croyance n'oppose pas autant que nous le pensons aujourd'hui le temps d'avant et le temps d'après, la vie et la survie. Dans les contes populaires, les morts ont autant de présence que les vivants et les vivants aussi peu de personnalité que les morts. Les uns et les autres manquent également de réalité psychologique.

Cette attitude devant la mort exprimait l'abandon au Destin et l'indifférence aux formes trop particulières et diverses de l'individualité.

Elle a duré autant que la familiarité avec la mort et avec les morts, au moins jusqu'au romantisme.

Mais chez les *litterati*, dans les classes supérieures, elle a été subtilement modifiée, tout en conservant ses caractères coutumiers.

La mort a cessé d'être oubli d'un soi vigoureux, mais sans conscience, d'être acceptation d'un Destin formidable, mais sans discernement. Elle est devenue le lieu où les particularités propres à chaque vie, à chaque biographie, apparaissent au grand jour de la conscience claire, où tout est pesé, compté, écrit, où tout peut être changé, perdu ou sauvé. Dans ce second Moyen Age, du XIIe au XIVe siècle, où ont été mises en place les bases de ce qui deviendra la civilisation moderne, un sentiment plus personnel et plus intérieur de la mort, de la mort de soi, a traduit l'attachement violent aux choses de la vie, et aussi — c'est le sens de l'iconographie macabre du XIVe siècle — le sentiment amer de l'échec, confondu avec la mortalité : une *passion d'être, une inquiétude de ne pas être assez.*

A l'époque moderne, la mort, malgré la continuité apparente des thèmes et des rites, a fait question, et elle s'est furtivement éloignée du monde des choses les plus familières. Dans l'imaginaire elle s'est alliée à l'érotisme pour exprimer la rupture de l'ordre habituel. Dans la religion elle a signifié, plus qu'au Moyen Age (qui a donné pourtant naissance au genre), mépris du monde et image du néant. Dans la famille, même quand on croyait à la survie et à une survie plus réaliste, vraie transposition de la vie dans l'éternité, la mort a été la séparation inadmise, la mort de l'autre, de l'aimé.

Ainsi la mort peu à peu prenait une autre figure, plus lointaine et pourtant plus dramatique et plus tendue — la mort parfois exaltée (la mort belle de Lamartine), bientôt contestée (la mort laide de Mme Bovary).

Au XIXe siècle, elle paraissait partout présente : convois d'enterrements, vêtements de deuil, extension des cimetières et de leur surface, visites et pèlerinages aux tombeaux, culte du souvenir. Mais cette pompe ne cachait-elle pas le relâchement des anciennes familiarités, les seules vraiment enracinées? En tout cas, cet éloquent décor de la mort a basculé à notre époque, et la mort est devenue l'*innommable.* Tout se passe désormais comme si, ni toi ni ceux qui me sont chers, nous n'étions plus mortels. Techniquement, nous admettons que nous pouvons mourir, nous prenons des assurances sur la vie pour préserver les nôtres de la misère. Mais, vraiment, au fond de nous-mêmes, nous nous sentons non mortels.

Et, surprise, notre vie n'en est pas pour autant dilatée! Existe-t-il une relation permanente entre l'idée qu'on a de la mort et celle qu'on prend de soi? Dans ce cas, faut-il admettre d'une part un recul de la volonté d'être chez l'homme contemporain, à l'inverse de ce qui s'était passé au second Moyen Age, et d'autre part l'impossibilité pour nos cultures techniciennes de retrouver la confiance naïve dans le Destin, que pendant si longtemps les hommes simples ont manifestée en mourant?

2

Itinéraires

1966-1975

1

Richesse et pauvreté devant la mort au Moyen Age

La relation entre la mort et la richesse ou la pauvreté peut être considérée de deux manières. L'une, celle de la démographie, est l'inégalité devant la maladie, et surtout la peste. L'autre, la seule qui nous retiendra ici, est la différence des attitudes existentielles du riche et du pauvre devant la mort. Éliminons tout de suite une interprétation anachronique qui consisterait à opposer la résignation de l'un à la révolte de l'autre. Le mauvais riche n'est pas plus effrayé que le pauvre Lazare, le paysan de la danse macabre n'est pas moins surpris que l'empereur ! C'est seulement à partir du XIXe siècle et au XXe que le refus ou l'horreur de la mort envahira des plages entières de la civilisation occidentale. Auparavant, les facteurs de changement sont d'un autre ordre : ils tiennent à la conscience qu'on prend de son individualité ou, au contraire, au sentiment auquel on s'abandonne d'un *fatum* collectif.

Dans la première moitié du Moyen Age, un rituel de la mort s'est fixé à partir d'éléments beaucoup plus anciens. Il a pu ensuite subir de grands changements, surtout dans les classes supérieures, il ne transparaît pas moins longtemps après avoir été partiellement recouvert, et on le retrouve dans des fables de La Fontaine ou dans des récits de Tolstoï.

Ce rituel dit d'abord comment il faut mourir. Cela commence par le pressentiment. Roland « sait que son temps est fini » et le laboureur de La Fontaine sent sa mort prochaine. Alors, le blessé ou le malade se couche, il gît par terre ou au lit, entouré de ses amis, de ses compagnons, de ses parents, de ses voisins. C'est le premier acte de cette liturgie publique. L'usage lui laisse alors le temps d'un regret de la vie, pourvu qu'il soit bref et discret. Il n'y reviendra pas plus tard : le temps du congé est terminé.

Il doit ensuite s'acquitter de certains devoirs : il demande pardon à son entourage, ordonne réparation des torts qu'il a faits, recommande à Dieu les survivants qu'il aime, et enfin, parfois, élit sa sépulture; on reconnaît dans la liste de ces prescriptions le plan des testaments : il prononce à haute voix et en public ce qu'à partir du XIIe siècle il fera écrire par un curé ou un notaire. C'est le second acte, le plus long, le plus important.

A l'adieu au monde succède l'oraison. Le mourant commence par dire sa coulpe, avec le geste des pénitents : les deux mains jointes et levées vers le ciel. Puis il récite une très vieille prière que l'Église a héritée de la Synagogue, et à laquelle elle a donné le beau nom de *commendacio animae*. Si un prêtre est présent, il donne l'*absolutio*, sous forme d'un signe de croix et d'une aspersion d'eau bénite (*asperges me cum hysopo et mundabor*, dit le rite absolutoire qui a longtemps chez nous précédé la grand-messe). Enfin, on prendra l'habitude de donner aussi au mourant le *Corpus Christi*, mais non pas l'extrême-onction. Le troisième et dernier acte est terminé, il ne reste plus à l'agonisant qu'à attendre une mort en général rapide.

Les liturgistes, comme l'évêque de Mende, Durand, prescrivent que le mourant soit étendu sur le dos et la tête tournée vers l'Est : c'est pourquoi il est exposé sur un lit démontable, facilement orientable, qui est sans doute la civière sur laquelle il sera transporté : la bière.

Dès que le défunt a rendu le dernier soupir, commencent les obsèques. Ces cérémonies de l'après-mort sont les seules qui subsistent aujourd'hui, mais, pendant longtemps, la scène ritualisée de la mort proprement dite a été aussi importante.

Les obsèques comportaient quatre parties inégales. La première, la plus spectaculaire et la seule de tout le rituel de la mort qui fut dramatique, était le deuil. Les manifestations les plus violentes de la douleur (même mot que deuil) éclataient aussitôt après la mort. Les assistants déchiraient leurs vêtements, arrachaient leur barbe et leurs cheveux, écorchaient leurs joues, baisaient passionnément le cadavre, tombaient évanouis, et, dans l'intervalle de leurs transes, ils disaient l'éloge du défunt, l'une des origines de l'oraison funèbre.

La seconde partie est la seule qui soit religieuse. Elle était réduite à une répétition de l'absolution dite sur le mourant tant qu'il vivait encore. Quand on a voulu la distinguer de l'absolution sacramentelle du vivant, on l'a appelée absoute. C'est elle qui est représentée par la sculpture : autour du lit ou du sarcophage, le célébrant et ses acolytes sont rassemblés, l'un porte la croix, l'autre tient l'antiphonaire, d'autres portent le vase d'eau bénite, l'encensoir et les cierges.

La troisième partie est le convoi. Après l'absoute, quand les manifestations de deuil s'étaient calmées, on enveloppait le corps dans le drap ou linceul, en laissant souvent la figure découverte, et on l'emmenait, toujours couché sur la bière, à l'endroit où il devait être mis en terre ou en sarcophage, accompagné de quelques-uns de ses amis. A moins qu'il ne fût clerc, il n'y avait ni prêtre ni religieux dans le convoi. La cérémonie était laïque, héritée d'un passé païen. Elle a longtemps conservé son importance dans le folklore : le convoi y était soumis à des règles : un certain itinéraire, certains arrêts ou stations.

La quatrième partie, enfin, était l'inhumation proprement dite; elle était très brève et sans solennité. Il arrivait cependant qu'on redise sur le sarcophage une nouvelle absolution ou plutôt une nouvelle absoute.

Tout porte à croire que ce rituel était commun aux riches et aux pauvres. Tel que nous le devinons d'après les poèmes chevaleresques ou dans la sculpture au Moyen Age, nous le retrouvons toujours dans les enterrements de village aux XVIIIe et XIXe siècles. Ces usages de la mort forment un ensemble cohérent et appartiennent à une culture homogène.

Sans doute les sarcophages des grands étaient-ils de marbre, leurs convois suivis de chevaliers richement vêtus (on ne portait pas encore le noir), leurs absoutes célébrées avec plus de cierges, plus de clercs, plus de pompe, leurs linceuls taillés dans un tissu précieux. Mais ces signes de la fortune ne faisaient pas si grande différence. Les gestes étaient les mêmes, ils traduisaient la même résignation, le même abandon au destin, la même volonté de ne pas dramatiser.

Au cours du second Moyen Age, cette identité devant la mort a cessé. Les plus puissants par la naissance, la richesse, la culture ont surchargé le modèle commun de traits nouveaux qui traduisent un grand changement de mentalité.

En quoi consistent les changements intervenus? La première partie de l'action, la mort, paraît inchangée jusqu'à la fin du XIXe siècle, même dans les classes supérieures où elle a conservé son caractère public et rituel. En fait, au second Moyen Age, elle a été subtilement altérée sous l'effet de considérations nouvelles, celles du Jugement particulier. Au chevet du malade se rassemblent bien toujours les parents et amis. Mais ils sont comme absents, le mourant a cessé de les voir, il est tout entier ravi par un spectacle que son entourage ne soupçonne pas. Le ciel et l'enfer sont descendus dans la chambre, d'un côté le Christ, la Vierge et tous les saints, de l'autre les démons, tenant parfois le livre de comptes où sont enregistrées les bonnes et les mauvaises actions. C'est l'iconographie des *artes moriendi* du XIVe au XVIe siècle. Le jugement n'a plus lieu dans un espace interplanétaire, mais au pied du lit, et il commence quand l'accusé garde un peu de souffle. C'est encore vivant qu'il s'adresse à son avocat : « Je ai en vos mise m'esperanche, Vierge Marie de Dieu mère... » Derrière le lit, le diable réclame son dû : « Je requiers avoir à me part/par justice selon droiture / l'âme qui de ce cors se part / qui est pleine de grand ordure. » La Vierge découvre son sein, le Christ montre ses plaies. Alors Dieu accorde sa grâce : « Six raisons est que ta resqueste / Soit exaucée plainement. »

Mais il arrive alors que Dieu soit moins juge rendant sentence, comme dans cette scène de 1340, qu'arbitre de la dernière épreuve proposée à l'homme juste avant sa mort. C'est l'homme libre qui est devenu lui-même son propre juge. Le ciel et l'enfer assistent en témoins au combat de l'homme et du mal : le mourant a le pouvoir, au moment de mourir, de tout gagner ou de tout perdre.

Cette épreuve consiste en deux genres de tentations. Dans

la première, il est sollicité par le désespoir ou la satisfaction. Dans la seconde, la seule qui nous intéresse ici, le démon expose à la vue du mourant tout ce que la mort menace de lui ravir, qu'il a possédé et follement aimé pendant sa vie. Acceptera-t-il d'y renoncer, et il sera sauvé, ou bien voudra-t-il les emporter dans l'au-delà, et il sera damné. Ces biens temporels qui l'attachent au monde, *omnia temporalia*, seront aussi bien des choses, *omnia alia ejus mundi desiderabilia*, que des êtres humains, femme, enfants, parents très chers. L'amour des uns ou des autres s'appelle l'*avaritia* qui n'est pas le désir d'accumuler ou la répugnance à dépenser, ce qu'exprime notre mot avarice. Elle est passion avide de la vie, des êtres comme des choses, et même des êtres que nous estimons aujourd'hui mériter un attachement illimité, mais qui passaient alors pour détourner de Dieu. Deux siècles avant les textes que nous analysons, saint Bernard opposait déjà les *vani* et les *avari* aux *simplices* et aux *devoti*. Les *vani* cherchaient la vaine gloire d'eux-mêmes, opposés aux humbles. Les *avari* aimaient la vie et le monde, opposés à ceux qui se consacraient à Dieu.

Le mourant souhaitait emporter ses biens avec lui. L'Église ne le détrompait pas tellement, mais elle l'avertissait qu'il les accompagnerait en enfer : dans l'imagerie des jugements derniers, l'avare tient sa bourse à son cou au milieu des suppliciés; il garde dans l'éternité l'amour des richesses temporelles. Dans une toile de Jérôme Bosch, le démon soulève avec peine, tant il est lourd, un gros sac d'écus, le tire d'un coffre et le dépose sur le lit de l'agonisant afin que celui-ci l'ait à sa portée à l'heure du trépas.

La vérité est que l'homme de la fin du Moyen Age et du début des temps modernes a follement aimé les choses de la vie. Le moment de la mort provoque un paroxysme de la passion que traduisent les images des *artes moriendi* et, mieux encore, leurs commentaires.

La représentation collective de la mort s'est éloignée du modèle calme et résigné de *la Chanson de Roland*. Elle est devenue dramatique et exprime désormais une relation nouvelle aux richesses.

Les richesses ne sont pas toutes temporelles. On a, en effet, appris à reconnaître dans les moyens d'obtenir des grâces divines, des richesses, sans doute spirituelles et rivales des temporelles, mais au fond de nature pas très différente.

Dans le premier millénaire de l'histoire du sentiment chrétien, le fidèle qui avait remis son corps *ad sanctos* était lui-même, par contagion, un saint. La Vulgate dit « saint » là où nous traduisons aujourd'hui « fidèle » ou « croyant ». L'inquiétude du salut ne troublait pas le saint promis à la vie éternelle et qui dormait dans l'attente du jour du retour et de la résurrection. Au second Moyen Age, au contraire, nul n'était plus assuré du salut, ni les clercs, ni les moines, ni les papes qui bouillaient dans la marmite de l'enfer. Il fallait s'assurer les ressources du trésor de prières et de grâces entretenu par l'Église. Ce besoin d'assurance a dû naître d'abord chez les moines à l'époque carolingienne. C'est alors que se sont développées des fraternités de prières autour des abbayes ou des cathédrales. Nous les connaissons par les rouleaux des morts et les obituaires : commémorations à la prière du chapitre des défunts inscrits sur les listes, ou messes pour les morts comme à Cluny.

A partir du XIIIe siècle, et, sans doute, grâce aux frères mendiants qui jouèrent un grand rôle dans les choses de la mort jusqu'au XVIIIe siècle, des pratiques qui étaient à l'origine seulement cléricales et monastiques s'étendirent au monde plus nombreux des laïcs urbanisés. Sous la pression de l'Église, et dans la crainte de l'au-delà, l'homme qui sentait la mort venir voulut se prémunir par des garanties spirituelles.

Nous venons de voir qu'il était alors dans cette alternative : ou garder son amour des *temporalia* et perdre son âme, ou y renoncer au profit de la béatitude céleste. L'idée vint alors d'une sorte de compromis qui lui permettrait de sauver son âme sans sacrifier tout à fait les *temporalia*, grâce à la garantie des *aeterna*. Le testament a été le moyen religieux et quasi sacramental d'associer les richesses à l'œuvre personnelle du salut et, au fond, de garder l'amour des choses de la terre tout en s'en détachant. Une telle conception montre bien l'ambiguïté de l'attitude médiévale face aux mondes de l'en-deçà et de l'au-delà.

Le testament est un contrat d'assurances conclu entre le testateur et l'Église, vicaire de Dieu. Un contrat à deux fins : d'abord, « passeport pour le ciel » — selon le mot de J. Le Goff [1], il garantissait les liens de l'éternité et les primes étaient payées en monnaie temporelle : les legs pieux —; mais aussi laissez-passer sur la terre, pour la jouissance, ainsi légitimée, des biens acquis pendant la vie, et les primes de cette garantie étaient, cette fois, payées en monnaie spirituelle, en messes, en prières, en actes de charité.

Les cas les plus extrêmes et les plus frappants sont ceux, souvent cités, des riches marchands qui abandonnent la plus grande partie de leur fortune au monastère où ils s'enferment pour y mourir. L'usage resta longtemps de revêtir l'habit monastique avant la mort. Des testateurs du XVIIe siècle rappellent encore qu'ils appartiennent à un tiers-ordre et ont droit, à ce titre, aux prières spéciales des communautés.

Dans d'autres cas, plus fréquents, les dévolutions prévues par les testaments se feront *post mortem.*

De toute manière, une partie seulement du patrimoine passera aux héritiers. Les historiens ont exprimé leur stupéfaction « devant le dépouillement de tout l'effort d'une vie cupide... qui... manifeste, fût-ce *in extremis,* combien les plus avides des biens terrestres du Moyen Age finissent par mépriser toujours le monde [2] ». Le noble du XIVe siècle « appauvrit ses héritiers par ses fondations pieuses et charitables : legs aux pauvres, aux hôpitaux, aux églises et ordres religieux, messes pour le repos de son âme que l'on compte par centaines et par milliers [3] ». Les marchands avaient les mêmes habitudes. Un texte souvent cité de Sapori à propos des Bardi souligne « le contraste entre la vie quotidienne de ces hommes audacieux et tenaces, créateurs de fortunes immenses, et la terreur

1. J. Le Goff, *La Civilisation de l'Occident médiéval,* Paris, Arthaud, coll. « Les grandes civilisations », 1964, p. 240.
2. *Ibid.,* p. 241.
3. J. Heers, *L'Occident au* XIVe *siècle, Aspects économiques et sociaux,* Presses universitaires de France, coll. « Clio », 1966 (2e éd.), p. 96.

où ils étaient du châtiment éternel pour avoir accumulé les richesses avec des moyens douteux ».

Ne faut-il pas reconnaître dans une telle redistribution des revenus un caractère très général aux sociétés préindustrielles où la richesse était thésaurisée? Évergétisme des sociétés antiques, fondations religieuses et charitables dans l'Occident chrétien du XIIIe au XVIIe siècle. La question a été bien posée par P. Veyne [1] : « C'est depuis la révolution industrielle que le surplus annuel peut être investi en capital productif, machines, chemins de fer, etc.; auparavant, ce surplus, même dans des civilisations assez primitives, prenait ordinairement la forme d'édifices publics ou religieux » et, ajouterai-je, de trésors, collections d'orfèvrerie et d'œuvres d'art, de beaux objets : *omnia temporalia.* « Autrefois, quand ils ne mangeaient pas leur revenu, les riches le thésaurisaient. Mais il faut bien que tout trésor soit dé-thésaurisé un jour; ce jour-là, on hésiterait moins que nous ne ferions à l'employer à faire bâtir un temple ou une église ou à des fondations pieuses ou charitables, car ce n'était pas un manque à gagner. Évergètes et fondateurs pieux ou charitables ont représenté un type d'*homo œconomicus* très répandu avant la révolution industrielle... »

« Il faut bien que tout trésor soit dé-thésaurisé. » Mais le jour choisi pour la dé-thésaurisation n'est pas égal : dans l'Antiquité, il dépendait des aléas de la carrière du donateur. Au contraire, depuis le milieu du Moyen Age et pendant toute l'époque moderne, il a coïncidé avec le moment de la mort, ou l'idée que ce moment était proche. Un rapport s'est établi, inconnu de l'Antiquité comme des périodes industrielles, entre les attitudes devant la richesse et les attitudes devant la mort. C'est là l'une des principales originalités de cette société si homogène qui va du milieu du Moyen Age au milieu du XVIIe siècle.

Max Weber a opposé au capitaliste qui ne tire aucune jouissance directe de sa richesse, mais conçoit le profit et l'accumulation de ces richesses comme une fin en soi, le précapitaliste, satisfait par le seul fait d'avoir : avidité ou

1. P. Veyne, *Annales ESC*, 1969, p. 805.

avaritia. Il écrit cependant : « Qu'un être humain puisse choisir pour tâche, pour but unique de la vie, l'idée de descendre dans la tombe chargé d'or et de richesses, ne s'explique pour lui (l'homme précapitaliste) que par l'intervention d'un instinct pervers, l'*auri sacra fames.* » En fait, c'est le contraire qui paraît vrai, c'est bien l'homme précapitaliste qui voulait « descendre dans la tombe chargé d'or et de richesses » et ne se résignait pas à « laisser maison et vergers et jardins ». En revanche, il y a peu d'exemples, depuis le père Goriot, personnage bifrons entre deux âges, qu'un homme d'affaires du XIXe siècle ait manifesté un tel attachement à ses entreprises ou à son portefeuille de valeurs. La conception contemporaine de la richesse ne laisse pas à la mort la place qu'elle lui réservait au Moyen Age et jusqu'au XVIIIe siècle, sans doute parce qu'elle est moins hédoniste et viscérale, plus métaphysique et morale.

Aussi les moines avaient-ils un sentiment particulier, fait de gratitude envers le fondateur, de désir que son exemple soit suivi, mais aussi de respect de la richesse et de la réussite séculière chez ces novices de la dernière heure. Ils leur consacraient des tombeaux visibles — ce qui est exceptionnel et contraire à la règle — et des épitaphes élogieuses. On connaît celle que les moines de Saint-Vaast composèrent pour Baude Crespin, un riche bourgeois d'Arras, au début du XIVe siècle. Il ne fut pas, reconnaît l'inscription, un moine comme les autres :

> *Jamais on n'en verra de semblable*
> *De lui vivaient à grand'honneur plus de gens que d'autres cent.*

A l'abbaye de Longpont, on lisait l'épitaphe, relevée par Gaignières [1], de Grégoire, vidame de Plaisance au XIIIe siècle :

> Il laissa par miracle ses enfants, amis et ses possessions *(omnia temporalia)* pour Dieu servir humblement et persévéra en ces lieux moyne en la piété de l'ordre en grande ferveur et en grande religion et rendit à Dieu son esprit saintement et joieusement.

1. B. 2518.

Felix avaritia! Puisque la grandeur de la faute avait permis la grandeur de la réparation, puisqu'elle était à l'origine de conversions aussi exemplaires et de transferts aussi bénéfiques. Mais ce n'est pas seulement par leur destination dernière : églises, hôpitaux, objets de culte, que les richesses étaient justifiées. Une thèse apparaît aussi dans les testaments qui, à certaines conditions, lève des scrupules et légitime un certain usage de la richesse :

> Des biens que Dieu mon créateur m'a envoiez et prestes, je en veuil ordoner et departir par manière de testament ou de dernière volonté par la manière qui s'ensuit. (1314)
> Voulans et désirans distribuer de moy et de mes biens que Mgr Jesus Christ m'a prestés au profict et salut de l'âme de moy. (1399)
> Voulant distribuer pour honneur et révérence de Dieu des biens et choses à lui prestées en ce monde par son doubs sauveur Jésus-Christ. (1401)
> Pourveoir au salut et remède de son âme et disposer et ordonner de soi même et de ses biens que Dieu lui avait donnez et administrez. (1413)

Ces arguments sont restés dans les testaments du XVIe et du XVIIe siècle. Il est vrai que, à partir du milieu du XVIIe siècle environ, une idée nouvelle s'y est ajoutée : « Par ce moyen, nourrir paix, amitié et concorde entre ses enfants » (1652). Au terme de cette évolution, la disposition des biens est devenue un devoir de conscience qui s'impose même aux pauvres gens.

A l'ambiguïté de *l'avaritia*, qu'exprimaient les testaments, correspond un autre volet de la psychologie médiévale, l'ambiguïté de la *fama* ou de la *gloria*, que révèlent les tombeaux visibles et les épitaphes. On séparait mal l'immortalité céleste de la renommée terrestre.

Cette confusion est sans doute un héritage des religions antiques. Elle apparaît dans des inscriptions gallo-romaines qui, bien que chrétiennes, demeuraient fidèles à une tradition païenne et pythagoricienne selon laquelle la vie éternelle était comme une image de la célébrité acquise sur la terre. Nymphius, dont l'épitaphe est conservée aux Augustins de Toulouse, était un notable évergète, bienfaiteur de sa cité que sa mort a mis en deuil. Sa gloire *(gloria)* survivra *(vigebit)* dans les générations futures qui ne cesseront de le louer. Et, d'autre part, cette renommée *(fama)* gagnée par ses vertus assurera son immortalité dans le Ciel : *Te tua pro meritis virtutis ad astra vehebat intuleratque alto debita fama polo : immortalis eris.*

L'épitaphe composée par le pape Damase à la mémoire de Grégoire le Grand était encore assez populaire au XIIIe siècle pour que *la Légende dorée* la citât. Détachons-en ce vers : *qui innumeris semper vivit ubique bonis.* Les immenses bienfaits du saint pape étaient d'une nature plus spirituelle que les *merita virtutis* du notable Nymphius : ils ne le faisaient pas moins vivre sur la terre, autant qu'ils avaient procuré le ciel à son âme : *spiritus astra petit.*

L'épitaphe de l'abbé Begon de Sainte-Foy de Conques date du début du XIIe siècle. Elle traduit la même ambiguïté. Elle énumère les qualités de l'abbé, les raisons qu'avait la communauté de garder sa mémoire : il était expert en théologie, il avait construit le cloître. *Hic est laudandus in saecula* par des générations de moines, et parallèlement, dans l'éternité, le saint louera le roi des cieux : *vir venerandus vivat in aeternum Regem laudando supernum.*

Si la gloire du ciel est sans doute « la plus durable », comme elle est appelée dans la *Vie de saint Alexis*, elle ne diffère de l'autre, de celle de la terre, que par sa durée et sa qualité. Dans *la Chanson de Roland*, les bienheureux sont appelés glorieux : « en pareis, entre les glorius » (v. 2899). Est-ce la gloire du Ciel, ou celle de la terre, ou plutôt l'une et l'autre ensemble?

Pétrarque, dans le *Secretum*, comparait la relation entre la renommée et l'immortalité à celle d'un corps et de son ombre : *virtutem fama, ceu solidum corpus umbra consequitur.*

Vers 1480, on prêtait au dominicain Spagnoli ces considérations sur le Paradis [1] : le bonheur du Paradis a deux causes : d'abord, bien entendu, la vision béatifique, mais aussi, *premio accidentale*, le souvenir du bien fait sur la terre.

1. Cité par Tenenti, *Il Senso della morte...*, *op. cit.*, p. 38.

Un grand seigneur, Frédéric de Montefeltre, confiait aux marqueteries de son studio, à Urbin, la même confiance dans une immortalité à la fois terrestre et céleste : *virtutibus itur ad astra.*

C'est seulement au XVIe siècle que l'idée religieuse de survie a été séparée de celle de renommée et qu'on a moins toléré leur confusion.

Pendant cette longue période, on notera deux expressions différentes de l'ambivalence de l'immortalité. Dans l'épitaphe de saint Grégoire comme dans celle de Begon de Conques, le rayonnement sur la terre provenait du ciel, de la sainteté du défunt. Au contraire, dans l'épitaphe gallo-romaine de Nymphius, et après plusieurs siècles, à la fin du Moyen Age, l'immortalité céleste dépendait d'actions temporelles.

Le tombeau visible, qui était devenu très rare pendant le Haut Moyen Age, reparaît au XIIe siècle : il était en effet un moyen d'assurer la permanence du défunt, à la fois au ciel et sur la terre. Son ostentation, qui a augmenté du XIIe au XVIe siècle pour diminuer ensuite (et cette courbe est très suggestive), traduit la volonté de proclamer aux hommes de la terre la gloire immortelle du défunt, gloire qui provient autant de la prouesse chevaleresque, de l'érudition humaniste que de la pratique des vertus chrétiennes ou de la grâce divine.

Les effigies des tombes plates du XVe et du XVIe siècle étaient fabriquées en série par des artisans spécialisés d'après des modèles socio-économiques; elles devaient confirmer le prestige des morts ainsi illustrés, dans ce monde et dans l'autre. Les grands monuments dynastiques, les tombes royales des Angevins à Naples ou des Valois à Saint-Denis, ont la même signification. Beaucoup de « lames » ou de « tableaux » comportaient des épitaphes qui, de simples indications d'état à l'origine, sont devenues de véritables notices biographiques, et, à partir du XVIIe siècle, les inscriptions ont été l'élément important du tombeau, plutôt que l'effigie, et parfois à sa place.

La tombe visible n'est donc pas le signe du lieu de l'inhumation : elle est commémoration du défunt, immortel parmi les saints, et célèbre parmi les hommes.

Dans ces conditions, la tombe visible était réservée à une petite minorité de saints et d'illustres : les autres, qu'ils aient été déposés dans la fosse aux pauvres, ou bien à l'endroit de l'église ou de l'aître désigné par eux, restaient anonymes, comme autrefois.

On le comprend : la part prise par l'*avaritia* et la *superbia* dans les considérations de l'homme en face de la mort traduit (ou provoque) un changement de la conscience de soi. Sous cette influence, les funérailles ont alors pris un caractère solennel et clérical qu'elles n'avaient pas au premier Moyen Age.

La participation de l'Église était en effet alors, nous l'avons dit, discrète; elle se réduisait à l'absolution qui suivait la confession de foi, la recommandation de l'âme, et qui pouvait être répétée sur le corps mort. A partir du XIIIe siècle, au contraire, l'absoute, qui n'est plus considérée comme une absolution sacramentelle, passe au second plan et est comme noyée au milieu d'une quantité de prières et d'actions religieuses. Celles-ci, nous les avons rencontrées plus haut : elles sont les indemnités que l'Église a prélevées sur son Trésor et qu'elle redistribue en contrepartie des legs pieux prévus par le défunt dans son indispensable testament : le mort intestat était considéré comme excommunié.

Pendant la courte veillée, à la place des cris de deuil des familiers, des moines récitaient l'office des morts. En outre, de nombreuses messes se succédaient presque sans interruption, parfois dès le début de l'agonie, pendant des heures, des jours, parfois des semaines. Un nombre incroyable de messes faisaient vivre un clergé quasi spécialisé. Certains prêtres jouissaient d'une chapelle, c'est-à-dire des messes quotidiennes, ou hebdomadaires, ou autres, qu'ils devaient célébrer pour le salut d'un testateur : ils recevaient les revenus de fondations.

Ces chaînes de messes se déroulèrent d'abord en dehors des funérailles. Dès le XIVe siècle, elles ne leur furent plus toujours complètement étrangères : c'est un signe de la transformation des funérailles en cérémonies de moins en moins civiles, de plus en plus religieuses. Il arriva alors que certaines messes étaient chantées *devant le corps :* pratique nouvelle, au moins pour le commun des laïcs et qui est devenue cependant générale au XVIIe siècle. Le corps, au lieu d'être conduit directement à l'endroit de l'inhumation (qui pouvait être dans l'église comme à côté), pouvait être déposé devant l'autel pendant le temps de quelques-unes des « hautes messes » prévues à l'intention du défunt. Dans les cas les plus solennels des funérailles royales, le corps passait la nuit à l'église : c'est-à-dire que la récitation de l'office des morts avait lieu à l'église. En général, il y avait trois hautes messes consécutives : celle du Benoît Saint-Esprit, celle de Notre-Dame *(Beata)* et, enfin, celle des Trépassés. Aux XVe et XVIe siècles, on a pris l'habitude (sans qu'elle s'imposât encore comme un usage) de faire arriver le corps avant la troisième messe, et c'est seulement au XVIIe siècle que le « service », comme on l'appela désormais, se réduisit à la seule messe des Trépassés, presque toujours en présence du corps, les deux précédentes étant tombées en désuétude. La messe des Trépassés, notre messe d'enterrement, était immédiatement suivie de l'absoute et de la mise au tombeau. Mais le mot d'absoute n'est jamais employé dans les testaments, même de prêtres; on la désignait sous le nom de *Libera*, en la complétant d'un choix précis de psaumes, d'antiennes et d' « oraisons accoutumées », avec aspersion d'eau bénite. La part de l'absoute, qui était autrefois la seule cérémonie, était donc minimisée, elle ne paraît pas plus importante que les prières de recommandation de l'âme, les *recommendaces*, alors très populaires.

Les heures et les jours après la mort sont donc dominés par la récitation des offices et la célébration des messes. Ces exercices réclamaient la participation d'un clergé nombreux. Mais les prêtres assuraient dans les funérailles une autre fonction que celle de célébrant. Ils étaient aussi réclamés — et payés pour leur seule présence : prêtres et moines. A ce clergé surnuméraire s'ajoutait une autre catégorie très significative de participants : les pauvres. Les testateurs avaient bien prévu des distributions d'aumônes, parmi d'autres œuvres, donations à des hôpitaux... Mais il est remarquable qu'on ne se contentait pas de distributions dans les hôpitaux choisis : la présence des pauvres aux obsèques était recherchée pour elle-même, comme celle des moines. Un testament de 1202 demandait l'assistance de *centum presbyteri pauperes*, et un nombre indéterminé de *Domini pauperes.* Tel testateur ordonnait « qu'un petit blanc soit donné pour Dieu le jour de son obit à chaque personne qui pour Dieu le vouldrait plaindre » (1403). On prévoyait parfois trente pauvres, autant que d'années dans la vie du Christ.

Au service célébré, d'abord le corps absent, ensuite le corps présent, s'ajouta un cortège qui permettait aux prêtres et aux pauvres de se déployer. Le convoi n'était donc plus la simple suite de quelques compagnons et parents, mais une procession solennelle à laquelle participaient des figurants, clercs, religieux et laïcs, porteurs de dizaines, voire de centaines de cierges et de torches. Aussi, le convoi a-t-il remplacé l'absoute dans l'iconographie, comme la scène la plus significative des obsèques.

Le convoi a en effet encore absorbé une autre fonction importante des funérailles, celle du deuil, auparavant assurée par les manifestations spontanées, ou d'apparence spontanée, des familiers. Plus de cris, de gestes, de lamentations — et ceci à l'époque des Pietà, des Mises au tombeau, des Marie-Madeleine, des Vierges tombant évanouies ! Au moins dans les villes, et sauf peut-être dans le Midi méditerranéen. Mais, même en Espagne, des pleureuses professionnelles ont pris la place de la famille et des amis, et on sait que leurs pleurs ne sont pas authentiques. Contre la coutume, le Cid préfère ceux de Chimène :

> *J'ordonne pour me pleurer*
> *qu'on ne loue point des pleureuses;*
> *Ceux de Chimène suffisent*
> *sans autres pleurs achetés.*

En France, les professionnels du deuil étaient les prêtres, les moines et les pauvres qui suivaient le convoi et portaient le corps, d'abord sur une civière — ou bière —, ensuite dans un sarceu ou cercueil de bois. Le sentiment du deuil était exprimé non plus par des gestes ou des cris, mais par un vêtement et une couleur. La couleur est le noir, qui est général au XVIe siècle. Le vêtement est une grande robe avec un capuchon qui, quand il est rabattu, recouvre une partie du visage (voir, par exemple, les pleurants du tombeau de Philippe Pot). Les pauvres du convoi recevaient souvent une partie de leurs aumônes sous forme de la « robe noire » qu'ils conservaient.

Le convoi fut donc désormais, jusqu'à la fin du XVIIIe siècle, composé de pleureurs parmi lesquels les familiers du défunt n'étaient plus les seuls. Plus un défunt était considéré, riche, puissant, plus il y avait de prêtres, de moines et de pauvres à son convoi : la multiplication des pauvres correspondait à celle des messes et des prières. Les moines étaient choisis surtout parmi les mendiants : la présence des « quatre mendiants », c'est-à-dire d'au moins un représentant des dominicains, des capucins, des augustins et des carmes, était usuelle à tous les enterrements. Donc, la richesse ou la puissance conviait au dernier voyage de celui qu'elle avait favorisé, la pauvreté sous deux formes, l'une subie, l'autre volontaire. La pauvreté devait être présente, non seulement pour être secourue et un peu effacée, mais pour être au contraire très visible, comme le spectacle d'une compensation nécessaire.

Depuis le XIIIe siècle, l'ostentation à la fois profane et mystique des pompes funèbres avait rendu les obsèques des riches plus différentes qu'elles n'étaient auparavant de celles des pauvres. Dans les communautés rurales, même les pauvres étaient assurés de la présence des voisins et amis à leur convoi, selon les très anciens usages. Mais dans les villes, dont l'essor fut si grand au second Moyen Age, le pauvre ou l'isolé ne disposait plus, dans les liturgies de la mort, ni de l'ancienne solidarité du groupe, ni de la nouvelle assistance des dispensateurs d'indulgences et de mérites : ni compagnons ou pleureurs, ni non plus prêtres ou pauvres. Pas de convoi. Pas de messe. Une absoute furtive. L'usage traditionnel, détérioré, devenait alors intolérable solitude, abandon de l'âme. C'est pourquoi le grand mouvement de charité de la fin du Moyen Age s'étendit aux enterrements des pauvres gens. On sait l'importance accordée, au Moyen Age, aux œuvres de miséricorde. A l'origine, celles-ci étaient au nombre de six, comme les énumère saint Matthieu dans la prophétie du Jugement dernier (25, 34). Or, voici qu'à celles-ci on a ajouté une septième : *mortuus sepellitur*, bien étrangère à la sensibilité évangélique (les enterrements que nous devinons dans les Évangiles ressemblent à ceux de *la Chanson de Roland* et de nos villages). Enterrer les morts a été promu au même niveau de charité que nourrir les affamés, désaltérer ceux qui ont soif, vêtir ceux qui sont nus, loger les pèlerins, visiter les malades et les prisonniers. Le thème nouveau apparaît dans l'iconographie au XIVe siècle, aux bas-reliefs de Giotto du Campanile de Florence.

Les confréries créées pour pratiquer toutes les œuvres de miséricorde en vinrent, aux XVe et XVIe siècles, à considérer l'assistance aux obsèques et leur ordonnance comme l'une de leurs fonctions principales. On devint membre d'une confrérie pour deux motifs : bénéficier des prières des confrères le jour de sa propre mort et ensuite assister de ses propres prières les autres défunts, et en particulier les pauvres qui sont, eux, privés de tout moyen matériel d'acquérir des intercesseurs spirituels.

Aussi les confréries ont-elles été, en beaucoup d'endroits où il n'y avait pas de corporations de croque-morts, comme les crieurs à Paris, chargés du service des pompes funèbres de la paroisse. L'habit des confrères ressemble d'ailleurs à la robe de deuil : robe longue à capuchon qui se rabat sur la figure. Dans le Midi, il deviendra la fameuse cagoule.

Les tableaux qui ornaient les retables des chapelles des confréries représentaient souvent, parmi les autres œuvres de miséricorde, l'arrivée au cimetière d'un convoi funèbre, formé justement par les membres de la confrérie.

Ainsi, grâce aux confréries, les enterrements du pauvre n'échappaient plus aux honneurs de l'Église qui avait solennisé ceux des riches.

On avait donc pris conscience d'une plus grande différence entre l'opulence des funérailles des uns et le dénuement de celles des autres. Pour qu'on ait tenté d'y remédier, il fallut que cette différence fît question. Et le fait est qu'elle ne faisait pas question seulement pour les autres, mais pour soi-même. Pourquoi ne pas renoncer à cette opulence, comme certains avaient distribué leurs richesses en œuvres pieuses? Parce que cette opulence-là n'était pas que richesse condamnable, mais signe d'une volonté divine. Dans la société hiérarchisée de la fin du Moyen Age, les rites des obsèques respectaient et prolongeaient l'état que Dieu avait imposé au défunt dès sa naissance. Il appartenait à chacun, comme un devoir, de maintenir pendant sa vie et aussi après sa mort (la différence entre la vie avant et après la mort n'étant pas ressentie dans les sociétés anciennes, chrétiennes ou non chrétiennes, avec la rigueur absolue de nos mentalités industrielles, y compris chrétiennes) le rang ou la dignité à lui dévolu.

Ce sentiment contrariait la recherche d'une plus grande simplicité, voire l'affectation de pauvreté, qui sont aussi anciennes que la tendance à la pompe, et non pas, comme on le dit, contemporaines de la Réforme ou de la Contre-Réforme. Les plus réfléchis essayaient de trouver un équilibre, comme ce testateur de 1399 : « Je veux et ordonne que mon corps soit enterré bien convenablement selon mon estat [pour satisfaire à la conservation de l'ordre voulu par la Providence], à l'ordonnance de mon exécuteur testamentaire [un abandon d'initiative qui a le sens d'une affirmation d'indifférence, dans un acte volontaire comme le testament], sans pompe et le plus simplement que faire se pourra [concession à l'humilité chrétienne]. » Quelques-uns, en revanche, vont aussi loin dans l'humilité que d'autres dans l'ostentation, et demandent qu'on les enterre dans « la fosse aux pauvres ».

Cette tendance à la simplicité n'a jamais cessé : elle s'est même accentuée dans ce XVIIe siècle qui a mis en scène les pompes baroques des funérailles. Nous retrouvons encore ici l'ambiguïté de la notion de richesse que nous avions déjà notée dans l'économie des testaments et des tombeaux.

C'est qu'en vérité il ne s'agissait pas des richesses au sens où nous l'entendons à nos époques et dans nos mentalités capitalistes. Les richesses étaient aussi les apparences merveilleuses d'une vie passionnément aimable que l'instant de la mort ne dénaturait pas.

Les rites élémentaires et laïques des très anciennes funérailles exprimaient l'appartenance à un destin collectif dont l'homme riche ou puissant ne se séparait jamais tout à fait. Au second Moyen Age, au contraire, il lui a succédé un mélange ambigu d'attachement féroce aux choses et aux gens de la terre, et de confiance pathétique dans l'assistance des prêtres, des moines, des pauvres, répartiteurs du trésor spirituel de l'Église. La possession de ces richesses indéterminées, à la fois de la terre et du ciel, donnait à la vie, à chaque vie, un prix nouveau. On peut imaginer ce prix tel que la mort deviendrait alors objet de crainte et d'horreur. Nous ne croyons pas qu'elle le soit devenue, malgré l'interprétation des historiens du macabre, mais ceci exigerait une autre et longue démonstration. En pleine période macabre, on n'avait ni plus ni moins peur de la mort qu'auparavant, mais on considérait l'heure de la mort comme une condensation de la vie tout entière, avec sa masse de richesses tant temporelles que spirituelles. Et c'est là, dans le regard que chaque homme jetait sur sa vie, au seuil de la mort, qu'il a pris conscience de la particularité de sa biographie et par conséquent de sa personnalité *.

* Cet article a été publié dans *Études sur l'histoire de la pauvreté*, ouvrage collectif sous la direction de M. Mollat, Paris, Publications de la Sorbonne, série « Études », vol. VIII[1] et VIII[2], 1974, p. 510-524.

2
Huizinga et les thèmes macabres

1. La position du problème

Des recherches en cours sur les attitudes devant la mort m'ont amené à relire, longtemps hélas après la première découverte, au temps ancien de mes études, *le Déclin du Moyen Age*, et j'ai été surpris par sa merveilleuse fraîcheur. Il faut se rappeler que ce livre a paru en France il y a quarante ans, en 1932, à une époque où l'histoire événementielle ou historisante n'avait pas capitulé et où la nouvelle histoire, celle d'aujourd'hui, se voulait d'abord, malgré quelques grands livres pionniers, économique et sociale : rappelons-nous le premier titre des *Annales* de Lucien Febvre et de M. Bloch. C'est seulement depuis une décennie que l'histoire des mentalités, fondée justement par Huizinga, Febvre, Bloch, auquel j'ajouterai Mario Praz [1], a recruté bon an mal an un contingent de chercheurs et de « thésards » suffisant pour faire bonne figure scientifique. C'est pourtant alors, en pleine innovation de l'histoire économico-sociale, que Huizinga dénonçait ses insuffisances — ou sa suffisance : « Les historiens modernes qui, dans les documents, essayent de suivre le développement des faits et des situations à la fin du Moyen Age accordent en général peu d'importance aux idées chevaleresques, qu'ils considèrent comme un monde sans valeur réelle. » Le but de l'historien socio-économique n'aurait-il pas dû être justement de chercher, par-dessous des apparences jugées insignifiantes,

1. M. Praz, *La Chair, la Mort et le Diable*, Paris, Denoël, 1977.

les motivations profondes? Certes, reconnaît Huizinga, « les hommes qui firent l'histoire de ces temps-là, princes, nobles, prélats ou bourgeois, ne furent pas des rêveurs, mais des hommes publics et des marchands froids et calculateurs ». Au XVe siècle, « la puissance commerciale de la bourgeoisie étayait la puissance monétaire des princes ». Toutefois, il ajoute : « Sans doute, mais l'histoire de la civilisation doit s'occuper aussi bien des rêves de beauté et de l'illusion romanesque que des chiffres de la population et des impôts. » Et en 1930 l'histoire démographique n'avait pas encore envahi nos bibliothèques! Pour la connaissance de la civilisation d'une époque, ajoute-t-il enfin, « l'illusion même dans laquelle ont vécu les contemporains a la valeur d'une vérité [1] ». Phrase qu'on dirait d'aujourd'hui, qui revendique le droit d'écrire l'histoire des illusions, des choses inaperçues, imaginaires : l'histoire dite aujourd'hui « des mentalités ».

C'est l'une de ces « illusions », l'illusion macabre, que je voudrais étudier ici, en restant fidèle à l'esprit de Huizinga, même quand je m'écarte un peu de sa lettre, et en hommage à sa mémoire. Les données macabres des XIVe-XVe siècles, Huizinga les a situées dans une série de faits constitués de données synchroniques, c'est-à-dire datées toutes d'une même époque, du XIVe au XVIe siècle. Dans une telle série, dans le corpus ainsi formé, les données macabres étaient des éléments parmi d'autres, comme les allégories, la sensibilité aux couleurs, l'émotivité, etc. Le but de Huizinga était en effet de saisir les caractères originaux de cette époque, prise dans sa totalité et considérée comme une totalité homogène. On sait qu'il est parvenu à une représentation dramatique, pathétique de cette époque. Aujourd'hui cette version noire est toujours admise. Michel Mollat et Jean Glénisson trouvent même dans les grandes pestes et dans les crises économiques sa confirmation [2].

1. J. Huizinga, *op. cit.*, p. 98.

2. M. Mollat, *Genèse médiévale de la France moderne*, XIVe-XVe *siècle*, Paris, Arthaud, 1970; Éd. du Seuil, « Points Histoire », 1977; J. Glénisson *et al.*, *Textes et Documents d'histoire du Moyen Age*, XIVe-XVe *siècle. I. Perspectives d'ensemble: les « crises » et leur cadre*, Paris, Société d'édition d'enseignement supérieur, coll. « Regards sur l'Histoire », 1970.

D'autres historiens au contraire, comme J. Heers [1], contestent ce caractère de catastrophe : *grammatici certant.* De plus savants feront mieux que moi le point de ce débat. Qu'il suffise ici de constater que les faits macabres sont situés par Huizinga et par les auteurs qui le suivent dans une perspective de crise.

De nos jours, Alberto Tenenti a de son côté apporté une autre contribution [2]. Il n'est pas facile de ramener à une formulation trop simple la diversité des analyses de Tenenti. Est-ce que je le trahis beaucoup en balisant dans son œuvre les deux directions suivantes? D'une part, l'opposition d'un Moyen Age finissant, où la vie terrestre est considérée comme l'antichambre de l'éternité, et d'une Renaissance où la mort n'est plus l'épreuve qu'il faut gagner à tout prix, et n'est même plus toujours le début d'une vie nouvelle. D'autre part, l'opposition d'un amour passionné du monde d'ici-bas et du sentiment amer et désespéré de sa fragilité, que traduisent les signes de la mort physique. Dans tous ces systèmes de pensée, les données macabres sont situées dans leur temps et reliées aux autres données de leur temps, afin d'atteindre une meilleure compréhension de ce temps.

Le but que je vous propose ici sera différent de celui recherché par Huizinga ou Tenenti. Ces mêmes données macabres, je tenterai de les situer dans une série de faits organisés autrement. La série de Huizinga était synchronique, la mienne sera diachronique, c'est-à-dire constituée de données ressemblant aux données macabres du XVe siècle, mais les unes antérieures, les autres postérieures. Disons plus simplement que je voudrais esquisser une histoire comparée des thèmes macabres dans une longue durée, du XIIIe au XVIIIe siècle. Nous partirons néanmoins toujours du XVe siècle. Quand on parle de thèmes macabres, on se reporte spontanément au XVe siècle, un peu avant, un peu après, parce que c'est à cette époque que les

1. J. Heers, *op. cit.*, 1970 (3e éd.), p. 118-121, 231-233, 321-326 et *passim.*

2. A. Tenenti, *La Vie et la Mort à travers l'art du* XVe *siècle, op. cit.*; du même auteur, *Il Senso della morte..., op. cit.*

historiens les ont repérés et analysés, c'est pour comprendre cette époque qu'ils les ont interprétés. Il suffira donc de rappeler brièvement les éléments du corpus déjà réuni par les historiens. Nous le compléterons ensuite en amont vers le XIIIe siècle, en aval vers les XVIIe-XVIIIe siècles, avant de revenir au XVe siècle pour présenter un essai d'explication, et enfin nous nous reporterons au début du XIXe siècle pour saisir l'évolution à son terme.

Le corpus de base a été constitué à partir de deux sortes de sources : les sources iconographiques et les sources littéraires. Les sources iconographiques sont d'abord les plus connues, quoique peut-être pas les plus significatives : les tombeaux à transis, où les défunts sont représentés mangés par les vers, en cours de décomposition. Notons, cela est important, que de tels monuments sont peu nombreux et assez localisés. La majorité des tombeaux suivaient d'autres modèles, d'autres canons. Ensuite, les danses macabres et les triomphes de la mort : des fresques destinées à la décoration des charniers, c'est-à-dire des cimetières. Elles ont été très étudiées. Enfin, les illustrations de l'office des morts, dans les « Heures ». On rattachera à ces peintures de manuscrits souvent très frappantes, les gravures de bois des *artes moriendi*, manuels de préparation dévote à la bonne mort.

Après les sources iconographiques, les sources littéraires. Sermons et poèmes comme ceux de Deschamps, de Chastellain, de Villon jusqu'à Ronsard. Parmi ces poètes, les uns pourraient être considérés comme des illustrateurs de l'iconographie macabre, car ils ne lui ajoutent rien. D'autres vont plus loin parce qu'ils établissent une relation impressionnante entre la décomposition du corps après la mort et les conditions les plus habituelles de la vie. Ils montrent, sous la peau du vivant qui se croit en bonne santé, les organes horribles, les liquides infects, les « puces et cirons » qui, le jour de la mort, triompheront du corps et le feront disparaître. Ces poètes donnent une importance particulière aux descriptions de la maladie et de l'agonie.

Mais il est remarquable qu'ils ne seront pas suivis, ni imités, par les artistes, peintres ou sculpteurs. Ceux-ci hésitent au contraire à représenter les signes extrêmes de la souffrance et de l'agonie. Le gisant au lit malade des *artes moriendi* ne montre pas qu'il est à la dernière extrémité. Ce n'est donc pas l'homme en train de mourir que retient d'une manière générale l'imagerie du XVe siècle. Le caractère original qui est commun à toutes ses manifestations, iconographiques et littéraires, et qui est essentiel, est la décomposition. C'est-à-dire qu'on veut alors montrer ce qui ne se voit pas, ce qui se passe sous la terre et qui est le plus souvent caché aux vivants. Bien entendu les écrivains spirituels des XIIe et XIIIe siècles, les auteurs ascétiques du *contemptus mundi* n'avaient pas manqué d'évoquer la destruction à laquelle étaient destinés les corps les plus beaux, les carrières les plus glorieuses : *ubi sunt*... Mais jamais encore l'image du « sac d'excréments » n'avait eu un tel retentissement dans la sensibilité. La thématique, à l'origine pieuse, a changé de caractère; Huizinga reconnaît qu'elle est « très éloignée d'une véritable aspiration religieuse ». Il est donc hors de doute que nous nous trouvons alors devant un trait nouveau de mentalité : « profond découragement causé par l'humaine misère », écrit Huizinga. Il nous met sur la voie; nous y reviendrons après avoir comparé les données macabres du XVe siècle à celles qui l'ont précédé et suivi. D'abord à celles qui l'ont précédé.

2. Les représentations de la mort aux XIIe et XIIIe siècles

Laissons de côté les précurseurs religieux anciens du *contemptus mundi*, du *memento mori*, et attachons-nous plutôt à la représentation habituelle de la mort et au réalisme de cette représentation. Deux observations s'imposent. La première est suggérée par un grand changement de la coutume funéraire qui doit se situer vers le XIIIe siècle et un peu avant. Jusqu'au XIIe siècle, et encore longtemps après dans les pays méditerranéens comme la France méridionale et l'Italie, le mort était transporté directement au sarcophage de pierre où il sera déposé, le visage découvert, même si, quand il était riche et puissant, il était enveloppé dans un tissu précieux. Or, à partir du XIIIe siècle, le visage du mort est dérobé aux regards, soit que le corps soit cousu dans le linceul, soit qu'il soit enfermé dans un « sarceu » de bois ou de plomb : un cercueil. On prit l'habitude, prévue depuis déjà longtemps dans les rituels, mais certainement rarement suivie dans la pratique commune, de déposer le corps devant l'autel pendant au moins une des trois hautes messes prévues pour le salut de son âme. Le cercueil déjà fermé était encore dissimulé sous un tissu ou *pallium* (poêle) et, en outre, sous un échafaud de bois qui n'a guère changé jusqu'à nos jours et que depuis le XVIIe siècle nous appelons catafalque (de l'italien *catafalco*), mais qu'on appelait auparavant ou chapelle ou plus souvent représentation. Chapelle, parce qu'il était entouré d'un luminaire comme l'autel d'une chapelle. Représentation, parce qu'il avait été, dans le cas des grands de ce monde, surmonté d'une statue de bois et de cire qui représentait le défunt à la place de son cadavre. La statue est restée en usage jusqu'au début du XVIIe siècle, lors des funérailles royales. Ailleurs, dans les funérailles plus simples, le catafalque en tenait lieu, et encore à la fin du XVIIe siècle le mot « représentation » est utilisé dans les testaments ou dans les textes de fondations pieuses comme synonyme de catafalque.

On a donc, autour du XIIIe siècle, reculé devant la vue du cadavre et devant l'exposition du cadavre dans l'église. Notons en passant que les pays où le corps est resté longtemps découvert, comme l'Italie, ont été aussi les plus réfractaires aux courants macabres du XVe siècle, c'est-à-dire à la représentation du transi ou de la momie.

La seconde observation est suggérée par la pratique des masques mortuaires qui apparaît au XIIIe siècle. Elle est d'ailleurs liée à celle de la représentation. On prélève le masque sur le visage du mort pour que la représentation soit tout à fait ressemblante. Il servait aussi à obtenir la ressemblance du portrait du défunt sur son tombeau. Après la mort de Saint Louis, pendant le retour en France des croisés, la reine

Isabelle d'Aragon mourut d'un accident de cheval en Calabre. Sur son tombeau de chair (ses os furent transportés à Saint-Denis), elle est représentée en priante, à genoux, les mains jointes, aux pieds de la Vierge; quoique son attitude appartienne à la vie, sa figure est celle d'une morte, laide, la joue déchirée par la chute et mal raccommodée par un point de suture parfaitement visible, les yeux fermés. Cette œuvre montre à l'évidence que les traits cadavériques n'étaient pas reproduits pour faire peur, comme un objet d'horreur, un *memento mori*, mais qu'ils étaient reproduits comme la photographie instantanée et réaliste du personnage. Nous disons encore aujourd'hui qu'un portrait est pris sur le vif. On le prenait alors sur le mort et on ne voyait pas de différence : c'était toujours pour faire vivant.

L'époque dite macabre des XIVe-XVe siècles n'a rien changé à cette pratique. Il existait à Saint-Sernin de Toulouse des statues de terre cuite représentant les anciens comtes de Toulouse. Elles dataient du début du XVIe siècle, et les figures étaient obtenues à partir de masques mortuaires. On les appelait « les momies des comtes », mais, en pleine période de danses macabres et de transis, elles ne sont pas destinées à faire peur, seulement à rappeler le souvenir des anciens bienfaiteurs de l'Église. Il en a été de même dans les siècles suivants : ni les macabres des XVe-XVIe siècles ni les baroques du XVIIe siècle, auteurs de pompes funèbres emphatiques, n'ont cherché à revenir sur le parti adopté au XIIIe siècle d'enfermer le corps dans une boîte et de le dérober aux regards. Il n'existe peut-être pas autant de contradiction qu'on croirait entre le refus de voir le cadavre réel et la volonté de représenter le vivant avec les traits de ce même cadavre, car ce n'est pas le cadavre qu'on reconstitue, mais le vivant à l'aide des traits du mort, et enfin on demande à l'art de se substituer à la réalité brute.

3. Éros et Thanatos du XVIe au XVIIIe siècle

Complétons maintenant notre corpus avec les données macabres postérieures au XVe siècle. Disons d'abord qu'un grand fait apparaît tout de suite : cette évocation de la mort réaliste et vraie, cette présence du cadavre lui-même, que le Moyen Age, même à son automne macabre, n'a pas tolérée, la période suivante, du XVIe au XVIIIe siècle, va les rechercher avec délectation. Elle ne les cherchera ni dans les funérailles ni dans les tombeaux. Les tombeaux ont suivi une évolution vers le dépouillement et la « néantisation », qui a un autre sens et que nous laisserons ici de côté. C'est plutôt dans le monde des fantasmes, des « illusions romanesques » comme disait Huizinga, qu'elle s'est exprimée. La mort est devenue alors, alors et non pas au XVe siècle, un objet de fascination, et les documents à ce sujet sont très nombreux et significatifs. Je ne pourrai ici que les caractériser brièvement ; ils se ramènent à deux grandes catégories, apparentées d'ailleurs l'une à l'autre, celle de l'érotisme macabre et celle du morbide.

Du XVIe au XVIIIe siècle, il s'est opéré un rapprochement nouveau dans notre culture occidentale entre Thanatos et Éros. Les sujets macabres du XVe siècle ne présentaient aucune trace d'érotisme. Voici que, dès la fin du siècle et au XVIe, ils se chargent de sens érotiques. La maigreur squelettique du cheval du cavalier de l'Apocalypse de Dürer, qui est la Mort, a laissé intacte sa capacité génitale, qu'il ne nous est pas permis d'ignorer. La Mort ne se contente pas de toucher discrètement le vif, comme dans les danses macabres, elle le viole. La Mort de Baldung Grien s'empare d'une jeune fille avec les attouchements les plus provocants. Le théâtre baroque multiplie les scènes d'amour dans les cimetières et les tombeaux. On en trouvera quelques-unes analysées dans *la Littérature de l'âge baroque* de Jean Rousset [1]. Mais il suffira d'en rappeler une plus illustre et connue de tous, l'amour et la mort de Roméo et de Juliette dans le tombeau des Capulet.

1. J. Rousset, *op. cit.*

Au XVIIIe siècle, on raconte des histoires assez semblables de jeune moine couchant avec la belle morte qu'il veille, et qui, quelquefois, n'est qu'en état de mort apparente. Aussi cette union macabre risque-t-elle de ne pas être sans fruits.

Les exemples qui précèdent appartiennent au monde des choses qu'on disait alors « galantes ». Mais l'érotisme pénètre même l'art religieux, à l'insu des moralistes rigoureux qu'étaient les contre-réformateurs. Les deux saintes romaines du Bernin, sainte Thérèse et sainte Ludovica Albertoni, sont représentées au moment où elles sont ravies par l'union mystique avec Dieu, mais leur extase mortelle a toutes les apparences exquises et cruelles de la transe amoureuse. Depuis le président de Brosses, on ne peut plus s'y tromper, même si le Bernin et ses clients pontificaux étaient bien réellement dupes [1].

De ces thèmes érotico-macabres, il faut rapprocher les scènes de violence et de torture que la Réforme tridentine a multipliées avec une complaisance que les contemporains ne soupçonnaient pas, mais dont l'ambiguïté nous paraît aujourd'hui flagrante, informés comme nous sommes de la psychologie des profondeurs : saint Barthélemy écorché vif par des bourreaux athlétiques et dénudés, sainte Agathe et les vierges martyres dont on « découpe menu les mamelles pendantes ». La littérature édifiante du bon évêque Camus n'hésite pas à accumuler les morts violentes et les supplices effrayants, dont il cherche, je veux bien, à tirer des leçons morales. L'un des livres de cet auteur intitulé *Spectacles d'horreur* est un recueil de récits noirs [2]. Ces quelques exemples suffiront à caractériser l'érotisme macabre.

La seconde catégorie de thèmes correspond à ce que nous entendons aujourd'hui par morbide. Nous appelons morbide un goût plus ou moins pervers, mais dont la perversité n'est ni avouée ni consciente, pour le spectacle physique de la mort

1. C. de Brosses, *Lettres historiques et critiques sur l'Italie*, Paris, an VIII [1799].

2. R. Godenne, « Les *Spectacles d'horreur* de J.-P. Camus », XVIIe *siècle*, 1971, p. 25-35.

et de la souffrance. Du XVIe au XVIIIe siècle, le corps mort et nu est devenu à la fois un objet de curiosité scientifique et de délectation morbide. Il est difficile de faire le partage de la science froide, de l'art sublimé (le nu chaste) et de la morbidité. Le cadavre est le sujet complaisant des leçons d'anatomie, l'objet de recherches sur les couleurs du début de la décomposition, qui ne sont pas horribles ni répugnantes, mais qui sont des verts subtils et précieux, chez Rubens, Poussin et combien d'autres.

Sur les tombeaux où subsistent des corps nus le cadavre n'est plus le premier état de la décomposition : il est une image de la beauté. Les beaux nus d'Henri II et de Catherine de Médicis par Germain Pilon ont remplacé les transis rongés de vers.

Les planches d'anatomie n'étaient pas réservées à une clientèle médicale; elles étaient recherchées par les amateurs de beaux livres. De même la dissection était-elle pratiquée en dehors des amphithéâtres. Des amateurs avaient des cabinets de dissection, où ils collectionnaient des hommes en veines, en muscles. Le marquis de Sade raconte, dans un livre tout à fait décent, inspiré par un fait divers, comment la marquise de Ganges, séquestrée dans un château, parvint à s'évader de sa chambre, la nuit, et comment elle tomba par hasard sur un cadavre ouvert. Au temps de Diderot, on se plaignait dans la grande *Encyclopédie* que les cadavres disponibles étaient accaparés par ces riches amateurs et qu'il n'en restait plus pour les usages médicaux.

Cette fascination du corps mort, si frappante au XVIe siècle, puis à l'âge baroque, plus discrète à la fin du XVIIe siècle, s'exprime au XVIIIe siècle avec l'insistance d'une obsession. Les cadavres deviennent l'objet de manipulations étranges. A l'Escorial pour les infants d'Espagne, mais aussi aux Capucins de Toulouse, pour les trépassés ordinaires, les cadavres sont changés de place pour être séchés, momifiés, conservés. On pense, malgré toutes les énormes différences, aux retournements des morts à Madagascar. A Toulouse, les cadavres retirés des cercueils séjournaient un certain temps au premier étage du clocher, et un narrateur complaisant raconte comment il a vu des moines les descendre sur le dos. Ainsi momifiés, les morts pouvaient être exposés à la vue dans des cimetières décorés à la manière des rocailles, mais avec des os. Les lustres, les ornements y étaient composés avec de petits os. On peut encore voir de tels spectacles au cimetière de l'église des Capucins et à Santa Maria della Morte à Rome, ou aux catacombes de Palerme.

Après ce rapide examen du corpus macabre de la période moderne, on peut se demander ce qu'aurait pensé un Freud un siècle plus tôt. Mais, en fait, ce Freud-là a existé, il s'appelle le marquis de Sade, et la simple citation de son nom suffit à montrer où nous a conduit l'enchaînement des faits érotico-macabres et morbides. La mort a alors cessé d'être considérée comme un événement sans doute redoutable, mais trop inséparable du monde de tous les jours pour ne pas être familière et acceptée. Quoique toujours familière et acceptée dans la pratique quotidienne de la vie, elle a cessé de l'être dans le monde de l'imaginaire où se préparaient les grands changements de la sensibilité.

Ainsi que l'a montré l'un de nos écrivains maudits, Georges Bataille [1], la littérature érotique du XVIIIe siècle, et j'y ajouterai celle du XVIIe siècle, a rapproché deux transgressions de la vie régulière et ordonnée en société : l'orgasme et la mort.

> *La débauche et la mort sont deux aimables filles*
> *Et la bière et l'alcôve en blasphèmes fécondes*
> *Vous offrent tour à tour, comme de bonnes sœurs,*
> *De terribles plaisirs et d'affreuses douceurs.*
>
> BAUDELAIRE

La nouvelle sensibilité érotique du XVIIIe siècle et du début du XIXe siècle, dont Mario Praz a été l'historien, a retiré la mort de la vie ordinaire et lui a reconnu un rôle nouveau dans le domaine de l'imaginaire, rôle qui persistera à travers la littérature romantique jusqu'au surréalisme. Ce déplacement vers l'imaginaire a introduit dans les mentalités une distance qui n'existait pas auparavant entre la mort et la vie ordinaire.

1. G. Bataille, *Le Mort*, *Œuvres complètes*, Paris, Gallimard, 1971, vol. IV; du même auteur, *l'Érotisme*, *op. cit.*

4. Une signification du macabre du XIVe-XVe siècle

Maintenant que nous avons parcouru la longue série des données macabres du XIIe au XVIIIe siècle, nous pouvons revenir à notre point de départ, au XVe siècle et par conséquent aux analyses de Huizinga. Il semble que le macabre du XVe siècle, ainsi mis en situation à l'intérieur d'une très longue durée, nous apparaît sous un éclairage un peu différent de celui de la tradition historiographique. Nous comprenons d'abord, après ce que nous avons dit du XIIe et du XIIIe siècle, qu'il n'est pas l'expression d'une expérience particulièrement forte de la mort, dans une époque de grande mortalité et de grande crise économique. Sans doute l'Église et surtout les ordres mendiants se sont-ils servis des thèmes macabres, devenus populaires pour d'autres raisons, que nous allons voir, et ils les ont détournés dans un but pastoral, afin de provoquer la peur de la damnation.

Peur de la damnation et non pas peur de la mort, comme dit M. Le Goff [1]. Quoique ces images de la mort et de la décomposition aient été utilisées pour éveiller cette peur, elles lui étaient pourtant à l'origine étrangères. Elles ne signifiaient au fond ni la peur de la mort ni celle de l'au-delà. Elles étaient plutôt le signe d'un amour passionné de la vie et de la conscience douloureuse de sa fragilité, au seuil de la Renaissance : où l'on retrouve l'une des directions de Tenenti.

Pour moi, les thèmes macabres du XVe siècle expriment d'abord le sentiment aigu de l'échec individuel. Huizinga l'a bien saisi quand il écrit : « Est-elle vraiment pieuse la pensée qui s'attache si fort au côté terrestre de la mort? N'est-elle pas plutôt une réaction contre une excessive sensualité? » Excessive sensualité, ou plutôt cet amour passionné de la vie dont je parlais à l'instant en me référant à Tenenti. « Est-ce la peur de la vie qui traverse l'époque [plutôt que la

1. J. Le Goff, *op. cit.*, p. 397.

peur, je dirais : la conscience de l'échec de la vie], le sentiment de désillusion et de découragement [1]? »

Pour bien comprendre cette notion de désillusion, d'échec, il faut prendre du recul, laisser un moment de côté les documents du passé et la problématique des historiens et nous interroger nous-mêmes, hommes du XXe siècle. Tous les hommes d'aujourd'hui, je crois, éprouvent à un moment de leur vie le sentiment plus ou moins fort, plus ou moins avoué ou refoulé, d'échec : échec familial, échec professionnel... Chacun a entretenu depuis sa jeunesse des ambitions, et il s'aperçoit un jour qu'il ne les réalisera jamais. Il a raté sa vie. Cette découverte, parfois lente, souvent brutale, est une terrible épreuve qu'il ne surmontera pas toujours. Sa désillusion peut le mener à l'alcoolisme, au suicide. Le temps de l'épreuve arrive en général vers la quarantaine, parfois plus tard, et quelquefois maintenant plus tôt, hélas! Mais il est toujours antérieur aux grandes défaillances physiologiques de l'âge, et à la mort. L'homme d'aujourd'hui se voit un jour comme un raté. Il ne se voit jamais comme un mort. Ce sentiment d'échec n'est pas un trait permanent de la condition humaine. Même dans nos sociétés industrielles il est réservé aux hommes, je veux dire aux mâles, et les femmes ne le connaissent pas encore. Il était inconnu du premier Moyen Age. Il est incontestable qu'il apparaît dans les mentalités au cours du second Moyen Age, à partir du XIIe siècle, d'abord timidement, et il s'impose jusqu'à l'obsession dans le monde avide de richesses et d'honneurs du XIVe au XVe siècle.

Mais il s'exprime alors autrement qu'aujourd'hui. L'homme d'aujourd'hui n'associe pas son amertume à sa mort. Au contraire l'homme de la fin du Moyen Age identifiait son impuissance à sa destruction physique, à sa mort. Il se voyait en même temps raté et mort, raté parce que mortel et porteur de mort. Les images de la décomposition, de la maladie, traduisent avec conviction un rapprochement nouveau entre les menaces de la décomposition et la fragilité de nos ambitions et de nos attachements. Cette conviction si profonde

1. J. Huizinga, *op. cit.*, p. 144.

donne à l'époque ce « sentiment de mélancolie », intense, poignante, qu'évoque si bien Huizinga. La mort était alors chose trop familière, qui n'effrayait pas. Ce n'est pas par elle-même, mais par son rapprochement avec l'échec, qu'elle est devenue émouvante. Cette notion d'échec doit donc retenir toute notre attention.

Qui dit échec dit programme, plan d'avenir. Pour qu'il y ait programme il a fallu considérer une vie individuelle comme l'objet d'une prévision volontaire. Il n'en avait pas toujours été ainsi. Il n'en était pas encore ainsi au XVe siècle pour la plus grande masse de la société, qui ne possédait rien. Chaque vie de pauvre était toujours un destin imposé, sur lequel il n'avait pas de prise. En revanche, depuis le XIIe siècle environ, nous voyons monter l'idée qu'on possède une biographie à soi, et qu'on peut agir jusqu'au dernier moment sur sa propre biographie. On en écrit la conclusion au moment de sa mort. Et il s'est ainsi créé une relation fondamentale entre l'idée de sa mort et l'idée de sa propre biographie. Toutefois, prenons-y garde sans crainte de nous répéter, la mort ne faisait alors ni peur ni plaisir comme cela arrivera au XVIIe et au XVIIIe siècle. Elle était d'abord très sèchement le moment des comptes, où on fait le bilan (la balance) d'une vie. C'est pourquoi la première manifestation symbolique de la relation entre l'idée de la mort et la conscience de soi a été l'iconographie du jugement, où la vie est pesée et évaluée. Jugement dernier d'abord, et puis jugement particulier dans la chambre même de l'agonisant. Ce sentiment de soi a mûri, et il a abouti à ce fruit d'automne, pour parler comme Huizinga, où l'amour passionné des choses et des êtres, l'*avaritia*, est rongé et détruit par la certitude de leur brièveté. « Il faut laisser maisons et vergers et jardins »... Ainsi c'est au terme d'une poussée de deux siècles d'individualisme que la mort a cessé d'être *finis vitae*, liquidation des comptes, et qu'elle est devenue la mort physique, charogne et pourriture, la mort macabre. Elle ne le restera pas longtemps. L'association entre la mort, l'individualité, la pourriture va se relâcher au cours du XVIe siècle.

Il serait facile de montrer comment, à partir du XVIe siècle, les représentations macabres vont perdre leur charge dramatique, devenir banales et presque abstraites. Le transi est remplacé par le squelette, et le squelette lui-même se divise le plus souvent en petits éléments, crânes, tibias, os, ensuite recomposés en une sorte d'algèbre. Cette seconde floraison macabre des XVIIe et XVIIIe siècles traduit un sentiment du néant bien éloigné du douloureux regret d'une vie trop aimée, tel qu'il paraît à la fin du Moyen Age. Les mêmes images peuvent avoir des sens différents. C'est que les images de la mort physique ne traduisent pas encore un sentiment profond et tragique de la mort. Elles sont seulement utilisées comme des signes pour exprimer un sens nouveau et exalté de l'individualité, de la conscience de soi.

5. Où commence, au XIXe siècle, la peur de la mort

Il faudra sans doute attendre bien plus tard, la fin du XVIIIe siècle et le début du XIXe, pour que la mort fasse vraiment peur, et alors on cessera de la représenter. Il serait intéressant, même pour l'intelligence de l'attitude devant la mort au XVe siècle, de comprendre l'originalité de la mort romantique. Elle apparaît suffisamment dans les documents du corpus que nous avons analysés pour que nous puissions, avant de conclure, indiquer quelques-uns de ses traits.

Nous avons fait deux importantes constatations. D'une part, comment le Moyen Age tout entier, même à son terme, vivait dans la familiarité de la mort et des morts. D'autre part, comment, à la fin du XVIIIe siècle, la mort avait été considérée, au même titre que l'acte sexuel, comme une rupture à la fois attirante et terrible de la familiarité quotidienne. C'est un grand changement dans les relations de l'homme et de la mort.

Sans doute ce changement a-t-il été observé seulement dans le monde de l'imaginaire. Mais il est ensuite passé dans le monde des faits délibérés, non sans d'ailleurs une très grande altération. Il existe en effet un pont entre les deux mondes, c'est la peur d'être enterré vivant et la menace de la mort apparente. Celles-ci apparaissent dans les testaments de la seconde moitié du XVIIe siècle et elles durent jusqu'au milieu du XIXe siècle. On entendait par mort apparente un état très différent de notre coma actuel. C'était un état d'insensibilité qui ressemblait à la mort, mais aussi bien à la vie. La vie et la mort y étaient également apparentes et confondues. Ce mort-là pouvait éveiller le désir, mais ce vivant pouvait aussi être enfermé dans la prison du tombeau et se réveiller dans d'indicibles souffrances. Voilà qui a fait grand-peur, quoique les probabilités de tels accidents dussent être rares. Mais en réalité on trahissait ainsi une angoisse plus fondamentale. Jusqu'alors la société intervenait de toutes ses forces pour maintenir la rassurante familiarité traditionnelle. La peur de la mort apparente a été la première forme avouée, acceptable, de la peur de la mort.

Cette peur de la mort s'est ensuite manifestée par la répugnance à représenter d'abord, à imaginer ensuite le mort et son cadavre. Les fascinations des corps morts et décomposés n'ont pas persisté dans l'art et la littérature romantique et postromantique, sauf quelques exceptions dans la peinture belge et allemande. Mais l'érotisme macabre est bien passé dans la vie ordinaire, non pas certes avec ses caractères troublants et brutaux, mais sous une forme sublimée, peut-être difficile à reconnaître : l'attention donnée à la beauté physique du mort. Cette beauté a été l'un des lieux communs des condoléances, l'un des thèmes des conversations banales devant la mort au XIXe siècle et presque jusqu'à nos jours. Les morts sont devenus beaux dans la vulgate sociale quand ils ont commencé à faire vraiment peur, une peur si profonde qu'elle ne s'exprime pas, sinon par des interdits, c'est-à-dire des silences. Désormais il n'y aura plus de représentations de la mort.

Ainsi les images de la mort traduisent-elles les attitudes des hommes devant la mort dans un langage ni simple ni direct, mais plein de ruses et de détours. Nous pouvons en guise de conclusion résumer leur longue évolution en trois étapes significatives :

1) A la fin du Moyen Age, les images macabres signifiaient, comme l'ont pensé Huizinga et Tenenti, amour passionné de la vie et en même temps, comme je le crois, fin d'une prise de conscience, commencée au XIIe siècle, de l'individualité propre à chaque vie d'homme.

2) Du XVIe au XVIIIe siècle, des images érotiques de la mort attestent la rupture de la familiarité millénaire de l'homme et de la mort. Comme l'a dit La Rochefoucauld, l'homme ne peut plus regarder en face ni le soleil ni la mort.

3) A partir du XIXe siècle, les images de la mort sont de plus en plus rares et elles disparaissent complètement au cours du XXe siècle, et le silence qui s'étend désormais sur la mort signifie que celle-ci a rompu ses chaînes et est devenue une force sauvage et incompréhensible *.

* Cet article a été publié dans *Bijdragen en mededelingen Betreffende de geschiendenis der Nederlanden*, Colloque Huizinga, Gravenhage, 1973, 88 (2), p. 246-257.

3

Le thème de la mort dans le Chemin de Paradis *de Maurras*

Le Chemin de Paradis est un livre de jeunesse. Il parut en 1895, sa préface est datée de 1894, mais l'un au moins de ces contes philosophiques qui le composent a été publié dans une revue littéraire en 1891. Il a été écrit par un jeune homme d'environ vingt-cinq ans qui, malgré sa précocité, ne possédait pas encore la maîtrise de son art. Ses fables laborieuses sont empruntées à un hellénisme d'époque, celui de Renan et de Leconte de Lisle. Dans le maniérisme, la préciosité « fin de siècle » du style, on ne reconnaît pas la griffe de Maurras, la souplesse qui accompagne sa rigueur dans l'expression des idées.

D'ailleurs, le livre serait resté dans l'oubli où il était vite tombé du consentement d'un auteur, un peu embarrassé, si quelques théologiens ne l'avaient malicieusement exhumé pour l'utiliser comme arme de guerre dans les manœuvres qui ont précédé la condamnation pontificale de *l'Action française :* le Maurras des quatre juifs obscurs (les quatre évangélistes, s'il vous plaît!), l'apologiste de l'esclavage, est sorti d'une exhumation tardive d'un livre de jeunesse. Quoiqu'il l'ait regretté, ce livre, Maurras ne l'a pas renié. Il a eu la coquetterie de le rééditer, en y ajoutant, il est vrai, une préface en forme de justification et en taillant dans le texte de larges coupures. Cette édition de circonstance a donc été plutôt l'occasion d'une réponse et d'une mise au point : nous ne nous en servirons pas.

Le Chemin de Paradis est ensuite revenu à l'oubli qu'il paraissait mériter. Nous allons l'en sortir aujourd'hui parce que, sous ses défauts et ses maladresses, il dissimule une clé pour la connaissance d'un personnage trop détesté et aimé, en réalité mal connu, moins peut-être par la faute de ses ennemis et de ses disciples qu'à cause de ses propres ruses, dignes d'Ulysse, son insaisissable héros.

Irons-nous chercher cette clé dans le squelette idéologique du livre? Il serait en effet de méthode classique, traditionnelle, d'y chercher les éléments de la future doctrine. On en trouverait quelques-uns : la thèse que l'homme ne doit pas dépasser les limites de sa nature ni déranger l'ordre du monde, l'ordre divin, qui est donné à sa raison, et dont il est raisonnable de reconnaître la lointaine nécessité; les transports de la religion, aussi bien que les passions de l'amour ou que les excès d'un plaisir illimité, entraînent l'homme à déroger aux grandes lois de l'Être, c'est-à-dire l'entraînent à sa perte. Le grand nombre des hommes doit être préservé des tentations de la liberté, de la sensibilité, de la connaissance, que seuls quelques privilégiés de la naissance ou des dieux peuvent surmonter : qu'on les laisse alors jouir en paix d'une soumission, même injuste, même cruelle, mais toujours tutélaire, tant qu'ils restent à leur place dans la hiérarchie nécessaire des inégalités.

Il serait toujours de bonne méthode d'examiner les grands thèmes qui *n*'existent *pas* dans *le Chemin de Paradis* et qui auront une place importante dans l'œuvre ultérieure de Maurras.

On sera frappé alors par l'absence de la notion pourtant capitale d'héritage, et aussi, chose très significative dans ce livre que nous dirons tout à l'heure dominé par la mort, de la notion d'insécurité, de fragilité des cités humaines.

Enfin on pourrait déterminer ce qui existe bien dans *le Chemin de Paradis*, mais qui disparaîtra ensuite, c'est-à-dire essentiellement la résonance nietzschéenne, le surhomme, et la dérision de la charité chrétienne qui exalte les faibles et les voue à la démesure, tandis que la piété antique, en les maintenant à leur place dans l'harmonie universelle, leur assurait au contraire un paisible bonheur.

Ce travail d'analyse et de classement ne serait pas sans intérêt, on le voit en passant. Il aurait cependant le défaut de nous laisser croire que nous avons compris. C'est, hélas!, l'exercice d'école auquel se complaisent toujours les historiens de la littérature et les historiens des idées politiques. Les premiers ont été, il est vrai, dérangés par les formalistes de « la nouvelle critique ». Rien, hélas!, n'a encore troublé les seconds, qui persistent dans des méthodes d'explication transformiste, selon lesquelles l'étude des opinions politiques revient à reconnaître les sédiments successifs qui les constituent et à déterminer leur chronologie. Admettons que cette entreprise ne soit pas inutile, en particulier dans le cas de Maurras. La pensée de Maurras est tellement moins cohérente et arrêtée dans le temps qu'il a voulu croire et faire croire, qu'il est naturel que ses historiens soient d'abord tentés par la recherche de ses variations. Cette démythification sera une étape nécessaire, mais qu'il faudra vite dépasser. Sinon on en viendrait à ramener Maurras à une somme d'influences, les unes avouées, les autres soigneusement cachées, sans jamais atteindre la nature profonde et vraie de l'œuvre.

Cette originalité que nous refuse l'étude génétique des idées et des sources, la trouverons-nous dans le thème avoué du livre, qui est la mort? Il faut le souligner avec vigueur, *le Chemin de Paradis* est avant tout un livre sur la mort. Si son auteur avait cessé d'écrire ensuite, on prêterait peu d'attention à des thèses de philosophie sociale qu'on retrouverait aussi bien dans d'autres réactions contemporaines contre les mouvements populaires du milieu du XIXe siècle. Le vrai sujet est la mort, et cela seul surprend, de la part d'un jeune homme de vingt-cinq ans. Cela mérite qu'on regarde de plus près.

Sur huit contes, sept traitent de la mort. Phidias se suicide parce que les dieux lui ont retiré le pouvoir d'animer les formes de pierre, pour le punir de son impiété. Le jeune esclave Syron est tué par son maître parce qu'il a connu « la mortelle volupté » et lui a survécu, enfreignant ainsi la grande loi selon laquelle « la perfection entraîne la mort ». Myrto, la noble courtisane d'Arles, meurt parce qu'elle a préféré l'amour au plaisir : l'évêque Trophime lui montre, pendant son agonie, la sagesse du christianisme qui bannit l'amour « plus loin que les neuf cieux », mais il est massacré pour avoir aussi prêché « l'horreur de la mort solitaire » et « le vide et la crainte de la vie » et du plaisir. L'humble pêcheur se noie dans les eaux de son étang, car sa vie est insupportable depuis qu'il a perdu l'heureuse insensibilité de sa condition, et dérobé le privilège dangereux de jouir de la Beauté, de l'Amour, de la Connaissance. Simplice est poussé à une mort cruelle par sa recherche méprisante du plaisir, par sa trop précoce initiation au charme de la mort : il est étranglé par les deux maîtresses auxquelles il ne demande qu'une jouissance simultanée et superficielle. Octave, très jeune élève d'un collège religieux, se pend avec le cordon des voiles de l'autel, en prenant un soin égal à pécher d'amour et à conserver autour de son corps l'amulette (pardon, Maurras dit le Scapulaire) qui assure le Paradis : cette histoire s'intitule *la Bonne Mort*, et Maurras l'a retranchée en entier de sa réédition de 1927, à cause de son impertinence. Ce n'est pas aujourd'hui l'impertinence du jeune homme, mais son étrangeté tragique qui nous frappe, avec son mélange d'érotisme, de religiosité et de mort. Le dernier conte se passe aux enfers parmi les ombres, et cependant il est moins fondamentalement macabre : la mort n'est qu'un prétexte. Les esclaves de Criton refusent de redescendre sur terre et de revivre dans un monde à l'envers où « le Christ hébreux a déposé les forts et exalté des faibles ».

Dans ces contes, Maurras a voulu montrer que la volupté était mortelle : au-delà du moment de la plénitude divine de la joie, de l'amour, de la beauté, qui est aussi connaissance, l'homme n'a d'autre choix qu'entre la mort harmonieuse et la déchéance laide, douloureuse. Parvenu à cette plénitude, il incline donc à « l'éternel repos », « l'enviable tranquillité ».

Simplice est devenu, nous verrons tout à l'heure comment, l'amant de la Mort, une Mort toujours liée à l'amour, ou plutôt à ce que nous appelons aujourd'hui l'érotisme. « Souffrir et mourir, que ces deux termes se balancent élégamment... J'en sais deux autres, il est vrai, qui ne présentent pas une moindre harmonie : c'est jouir et mourir encore. »

« Je n'eus d'attachement véritable qu'aux lieux où l'on songe en paix à la mort, les églises, les sépultures, les lits de sommeil et d'amour. »

Texte étrange, n'est-il pas vrai? où nous reconnaissons le même rapport du macabre et de l'érotisme qu'à l'époque baroque, au préromantisme, ou qu'aujourd'hui même dans le néo-sadisme d'un Georges Bataille. Ces comparaisons ne paraissent paradoxales qu'à cause de notre connaissance du Maurras accompli.

Le thème de la mort n'apparaît pas seulement dans les passages qui le traitent nominalement et ouvertement : on le surprend qui surgit sans raison, comme une obsession remontée des profondeurs, quand on s'y attend le moins. La mort n'est pas qu'un thème de réflexion, elle est un langage, un moyen de dire autre chose. Voici deux exemples.

Simplice raconte comment il a découvert dans son enfance le charme de la Mort. Il avait 7 ans. L'une de ses parentes, une très jeune fille, venait de mourir. Il accompagna sa mère d'abord au chevet de la morte, puis à l'enterrement. Il fut frappé par la beauté du cadavre, étendu sur le lit d'apparat, les jeux du soleil et des fumées de l'encens sur la chair « lumineuse et toute fleurie », « l'albâtre merveilleux de ce visage éteint ».

Il suit ensuite le convoi avec une « curiosité frémissante que le hasard favorisera ». Le cercueil était porté à visage découvert selon un très ancien usage du Midi méditerranéen. « Un choc se produisit, quelque porteur ayant buté contre une pierre et la secousse se transmit jusqu'à la morte dont les lèvres laissèrent perler une goutte de sang que suivait un long jet d'écume semblable. Le creux des joues, des yeux en était empourpré. » Cet accident a révélé à Simplice que la mort était paix et impassibilité. En effet, personne ne s'émut :

le frère de la morte « s'avança et étancha paisiblement d'un carré de baptiste cette vague de sang glacé ». « Je comparais dans mon esprit ce qui se fût passé si le même accident au lieu de survenir à ce froid visage nous fût venu troubler ma mère et moi qui étions vivants. » Que de cris et d'émotions! « Dans ce soir mémorable de ma huitième année, j'enviais tout bas la pâle indifférence de la mort. »

Il y a donc deux phénomènes différents : une chose vue, gravée dans une mémoire d'enfant, et une idée de la mort qui est donnée comme la conceptualisation de la chose vue. Le rapport de l'une à l'autre nous paraît en fait arbitraire et nous avons plutôt l'impression que la chose vue s'imposait à l'auteur pour elle-même : l'idée n'en était plus que le prétexte.

Une chose vue, mais cela pourrait être aussi bien une chose lue, lue par un adolescent qui en aurait ensuite changé le sens; lue dans *Madame Bovary.*

Emma est morte après la veillée, les commères l'habillent : « Regardez-la... comme elle est mignonne encore! Si l'on ne jurerait pas qu'elle va se lever tout à l'heure. » Emma Bovary ne donne pas la leçon d'impassibilité de la gisante observée par Simplice, elle est plutôt la fresque vivante des « funeral homes » américains.

« Puis elles se penchèrent pour mettre une couronne. Il fallut soulever un peu la tête et alors *un flot de liquide noir sortit comme un vomissement de sa bouche* — oh mon Dieu! la robe, prenez garde! s'écria Mme Lefrançois. Aidez-nous, disait-elle au pharmacien [M. Homais]. Est-ce que vous avez peur, par hasard? »

Le saignement des cadavres n'est pas si fréquent dans la littérature contemporaine pour qu'on ne soit pas frappé de le retrouver à la fois chez Flaubert et chez Maurras. Toutefois, il n'a pas le même sens. Dans *Madame Bovary*, il symbolise la mort sale, celle de Barbusse, de Remarque, de Sartre et de Genet. Dans *le Chemin de Paradis*, il est transformé en une apologie de l'impassibilité bienheureuse. Mais que valent au fond les interprétations : ici et là sont également présentes les images brutes de la mort.

Le second exemple est extrait du conte intitulé *Eucher de l'Ile*. Eucher est un marin de l'étang de Berre. Au cours de ses pêches nocturnes, il découvre, sous les eaux, le corps d'un noyé! Dans le mythe, ce corps englouti symbolise la Beauté, la Gloire, l'Amour, les dons de la fortune et de la naissance. Eucher découvre ainsi les merveilles que les lois tutélaires lui avaient cachées, et il meurt de cette révélation qui l'arrache à son insensibilité. Le mythe vaut ce qu'il vaut : mais était-il bien nécessaire, pour l'exprimer en parabole, d'imaginer l'étreinte macabre du vieux pêcheur et du cadavre décomposé du noyé? Eucher a en effet remonté ce cadavre dans son filet de pêcheur : « Le beau défunt fut attiré sur les flancs de la barque et le pêcheur lui put couvrir les mains et le visage de baisers, de pleurs passionnés, l'appelant ' forme douce ' et ' tête chérie '. Il ne prenait point garde que ces lambeaux de chair dissoute mollissaient à chaque contact et qu'il pressait entre ses mains un mélange confus qui allait tourner en liquide. » « Celui qu'il serrait si étroitement sur son cœur, loin de paraître incorruptible, coulait comme une fange et commençait de se mouler exactement sur lui, non sans fleurer les plus horribles senteurs de la mort. »

Les mots de la mort et de l'amour sont ici confondus comme chez les mystiques du XVIe siècle, ceux de l'amour sacré et de l'amour profane.

Plus encore que les idées claires et volontaires, cette utilisation des images de la mort venues des plis les plus profonds des mémoires anciennes, comme les mots d'un langage, nous prouve combien le jeune Maurras des années 1890 était obsédé et *fasciné* par la mort. Cela ressort d'une lecture naïve du *Chemin de Paradis*. Maurras n'y est guère revenu. Une fois cependant, trente-cinq ans plus tard, il a laissé échapper une discrète confidence. Je remercie Henri Massis et François Leger de m'avoir permis de ne pas la perdre. C'est dans le dernier récit des *Quatre Nuits de Provence*, publié en 1930. Réveillé par l'orage, il se rappelle qu'un soir comme celui-ci il avait été pris par la tempête, dans un canot à rames. « A contempler cette tempête sans la craindre, j'avais peu de mérite, traversant une petite crise morale où ma jactance intellectuelle de lecteur de Schopenhauer [philosophe de la mort, notons-le au passage] était multipliée par les âcres souvenirs, abondamment ruminés, de quelques gros chagrins plus personnels [sa surdité]. La vie ne m'était plus très douce. Elle m'apparaissait de moins en moins brillante. Tout avenir semblait fermé. Depuis trois ans, j'appliquais ce que j'avais de bravoure à prévoir sans révolte que le sens de l'ouïe ne me serait pas rendu et j'en étais conduit à un état de détachement dans lequel les plus chères amitiés élues, comme les plus puissantes affections naturelles ne me paraissaient pas appelées à beaucoup compter... A dix-sept ans les petites choses tournent volontiers au *rien n'est plus* [souligné par Maurras]. Qu'eussé-je regretté? donc que redoutais-je? *J'aurais fait le dernier plongeon sans regrets.* » « Mes idées claires... mes convictions conscientes... penchaient toutes au désir d'éternel repos. » Les aveux involontaires du *Chemin de Paradis* nous prouvent que les tendances profondes de son inconscient penchaient aussi à la mort. D'ailleurs Maurras ajoute ces quelques mots qui paraissent extraits sans changements des contes de sa jeunesse : *J'aimais la mort.*

L'auteur du *Chemin de Paradis* aimait la mort. Celui des *Quatre Nuits de Provence* ne l'aimait plus depuis longtemps, mais il ne l'avait pas oubliée et sa haine ressemblait à l'amour. Henri Massis a montré comment toute l'œuvre de Maurras est dominée par la volonté de défendre la société d'une mort à chaque instant menaçante. Je croirais assez que ce sentiment de la mort est la grande originalité de Maurras. Les systèmes qui l'ont précédé sont fondés sur des conceptions de la nature de l'homme, du devenir de l'humanité, de la tradition ou du progrès, où il a d'ailleurs pris un peu partout son bien. Mais a-t-on jamais eu un sens aussi fort et toujours présent de l'extrême fragilité des demeures humaines? Henri Massis a eu raison d'y voir une clé essentielle.

De mon côté, j'ai voulu montrer ici comment cette attitude du Maurras adulte a été le contraire de celle du Maurras adolescent. Pendant les années 1890-1900, sans doute déterminantes pour sa formation, il a été tenté dans ses profondeurs par le charme de la mort : comment il a résisté, et entrepris de lutter contre elle de toutes ses forces et pendant toute sa vie, voilà le drame que ses historiens devront un jour éclairer *.

* Cet article a été publié dans *Études maurrassiennes*, I, 1972, Centre Charles-Maurras, Aix-en-Provence.

4

Les miracles des morts

On sait maintenant que, dans la seconde moitié du XVIIIe siècle, l'opinion éclairée s'est émue des « dangers des sépultures ». C'est le titre d'un essai de Vicq d'Azyr, médecin bien connu aujourd'hui des historiens, paru en 1778; un recueil de faits divers qui démontrent le pouvoir d'infestation contagieuse des cadavres, et aussi décrivent les foyers de gaz toxiques qui se formaient dans les tombes.

Certains enterrements, célèbres dans les annales de ces premiers hygiénistes, tournèrent à l'hécatombe.

Ainsi un jour chaud d'août 1744, un portefaix s'effondra en ouvrant le caveau des pénitents blancs de Montpellier pour y descendre le corps d'un confrère défunt. « A peine eut-il descendu dans la cave qu'on le vit agité par des mouvements convulsifs. » Le frère pénitent qui voulut lui porter secours échappa de justesse au danger : « Il se fit tenir en descendant par le bout de son sac et de son cordon, qu'il donna à un autre frère pénitent. A peine eut-il saisi l'habit du portefaix qu'il perdit la respiration. On le retira à demi mort. Bientôt il reprit ses sens, mais il lui resta une espèce de vertige et d'étourdissement, avant-coureurs des mouvements convulsifs et des défaillances qui se manifestèrent un quart d'heure après. » Ses troubles, heureusement, « disparurent par le moyen d'une saignée et de quelques cordiaux ». Mais « il fut longtemps pâle et défiguré, et il porta depuis dans toute la ville le nom de *ressuscité* ».

Deux autres pénitents tentèrent de sauver le malheureux portefaix qui était toujours au fond, inanimé. Le premier « se sentant suffoquer » eut le temps de faire signe qu'on le retirât. Le deuxième, plus robuste, fut victime de sa force et de son audace : « Il mourut presque aussitôt qu'il fut descendu. » Ce fut alors au frère du portefaix de mourir à son tour, le dernier de cette série catastrophique; car alors chacun comprit à quoi il s'exposait et personne ne voulut plus se risquer à une nouvelle tentative, malgré les « exhortations les plus pressantes » du clergé!

A Nantes, en 1774, au cours d'un enterrement dans une église, on déplaça un cercueil : une odeur fétide se répandit; « quinze des assistants moururent peu de temps après; les quatre personnes qui avaient remué les cercueils succombèrent les premières et six curés présents à cette cérémonie manquèrent de périr. »

Poches de vapeurs sous pression qui explosent : on lit dans le journal de l'abbé Rogier qu' « un fossoyeur, en travaillant dans ce cimetière de Montmorency, donna un coup de bêche sur un cadavre qui y avait été enterré un an auparavant et qu'il fut aussitôt renversé par les vapeurs qui s'en élevèrent », renversé par l'explosion.

Vapeurs « pestilentielles », c'est-à-dire qui répandaient la peste ou d'autres maladies contagieuses comme la petite vérole : on cite un cadavre qui « répandit une maladie très dangereuse dans un couvent entier ». Et notre médecin de conclure : « On voit fréquemment des fièvres malignes et putrides, des maladies périodiques, régner dans les villes les plus peuplées, sans qu'on en puisse pénétrer la cause éloignée; n'est-il pas probable que cette cause que nous ignorons et qui ne nous est démontrée que par ces funestes effets, n'est autre chose que la sépulture dans les villes? »

Il existe toute une littérature sur ce sujet. Citons, après Vicq d'Azyr, un autre auteur, célèbre pour ses livres sur l'éducation et sur la noblesse commerçante, l'abbé Coyer qui a publié en 1768 : *Étrenne aux morts et aux vivants.*

Cette campagne de presse aboutit assez vite à des décisions. Le régime alors mis en place règle encore nos sépultures : arrêt du 21 mai 1765 du parlement de Paris sur les sépultures établissant le principe du transfert des cimetières hors de la ville de Paris, l'arrêt du parlement de Toulouse du 3 septembre 1774, sous l'influence de Mgr Loménie de Brienne, la déclaration du roi concernant les inhumations du 10 mars 1776, interdisant les sépultures dans les églises et dans les villes, la destruction du cimetière des Innocents de 1785 à 1787, et enfin le décret du 23 prairial an XII, qui reste la base de notre réglementation actuelle. En l'espace d'environ trois décennies, des habitudes millénaires ont été bouleversées, et la principale raison que les contemporains donnèrent de la nécessité de ce changement a été le caractère infectieux des cimetières traditionnels et les dangers qu'ils représentaient pour la santé publique.

La première idée qui vient à l'esprit est la suivante : le progrès des connaissances concernant la médecine et l'hygiène, dont on a d'autres preuves, a rendu intolérables les manifestations de phénomènes dont on s'était très bien accommodé pendant des siècles. L'hygiène nouvelle a révélé une situation qu'on n'apercevait pas auparavant.

En gros, cette interprétation est bien exacte; mais les choses ne se sont pas passées aussi simplement.

En particulier l'observation des phénomènes étranges dont les tombeaux et les cimetières étaient le théâtre a précédé la découverte de l'hygiène. Les préoccupations de santé publique n'étaient pas absentes aux XVIe et XVIIe siècles; mais elles n'étaient ni les seules ni les plus décisives. Les phénomènes que Vicq d'Azyr et ses contemporains expliquaient par les sciences de la nature et la chimie, étaient déjà connus, mais ils appartenaient à un monde à la fois naturel et surnaturel, où intervenaient des causalités encore admises, et qui, à la fin du XVIIIe siècle, ont été reléguées au rang de superstitions méprisables.

Ce n'est pas l'œil moderniste du médecin hygiéniste qui a vu pour la première fois les vapeurs mortelles et les explosions gazeuses des sépultures traditionnelles. Qui alors? C'est ce que je voudrais essayer de montrer.

Un auteur et un livre nous mettent sur la voie[1]. L'auteur est Garman, médecin allemand, qui vécut de 1640 à 1708. Il était

1. L. C. F. Garman, *De miraculis mortuorum*, Dresde, 1709. En particulier, p. 106-142.

de confession luthérienne. Les dictionnaires médicaux de la fin du XVIIIe siècle donnent son nom comme celui d'un compilateur sans esprit critique de faits divers merveilleux, de prodiges invraisemblables, d'histoires inventées par la superstition et la crédulité populaires. Ces dictionnaires n'ont pas un mot d'estime pour la langue et le style de Garman, qui écrivait cependant un excellent latin cicéronien ou érasmien, et savait en utiliser toutes les ressources expressives. En fait Garman n'est pas aussi ridicule que le disent les médecins éclairés de la fin du siècle. Il est seulement, et pour notre bonheur d'historien, un témoin un peu attardé (de quelques lustres) des conceptions scientifiques qui triomphèrent depuis la fin du Moyen Age jusqu'au milieu du XVIIe siècle. L'alchimie, l'astrologie se mêlaient alors à la médecine modernisante, la nature était mal séparée du praeter-naturel (le mot existait) et du surnaturel, et la connaissance était établie sur une masse d'informations *ab mondo condito in hoc usque momentum* où Pline l'Ancien avait autant de poids qu'un médecin contemporain. Toutefois, comme ces informations étaient transmises par le livre imprimé, les époques historiques qui les documentaient étaient l'Antiquité classique ou la Basse Époque, le XVIe siècle et le début du XVIIe, certains auteurs du XVIe siècle reprenant des données du Moyen Age. Le Moyen Age n'était appréhendé que par les citations du XVIe siècle.

Le livre de Garman est intitulé *De miraculis mortuorum.* Il traite donc de tous les phénomènes observés sur les cadavres. Le titre assez extraordinaire du chapitre que nous retiendrons ici peut être traduit ainsi : *Des sons émis par les cadavres dans leurs tombeaux, semblables à ceux des porcs en train de manger; en allemand Schmaetzende Tode.*

Garman part d'une série d'observations, la plupart extraites de la littérature, mais certaines d'auteurs contemporains, et l'une a même été faite par lui.

Il est notoire que des sons proviennent à certains moments de certains tombeaux. D'après Baleus (1495-1563), des bruits s'élèvent *(ossa crepitasse)* du tombeau du pape Sylvestre II (Gerbert) chaque fois qu'un pape va mourir. Des faits de ce genre sont courants. A Gutzen, en 1665, on ouvre un cercueil parlant, on ne trouve rien, on referme, le phénomène recommence.

L'auteur a été lui-même témoin du même phénomène, au cours de l'enterrement d'un papiste — donc suspect à ce protestant. On a aussi ouvert le cercueil et on n'a rien remarqué qui puisse être la cause de la *pulsatio*. Ces sons-là ne correspondaient donc à rien de visible. Il n'en est plus de même du cas rapporté par un coreligionnaire luthérien : « Un fossoyeur, 'Gothanos', en préparant une sépulture, tomba dans un cercueil pourri qui ne contenait plus que des os [donc les chairs étaient consommées, prêtes à gagner leur place dans le charnier de plein air, comme c'était l'habitude]. Quand il voulut se dégager, il entendit un son « stridant, tout à fait comme le sifflement d'une oie, et, en même temps, il vit se former au bout des os une masse d'écume grosse comme le poing, qui dégageait une telle odeur qu'il dut fermer ses lèvres et boucher son nez. Il resta cependant dans un coin pour voir ce qui allait se passer. Peu de temps après, la masse d'écume éclata comme une bombe qui explose, dégageant un nuage de fumée bleuâtre, et l'infection de l'air augmenta au point qu'il aurait perdu la vie s'il n'avait réussi à sortir du tombeau, et, une fois rentré chez lui, à se soigner grâce à je ne sais plus quel médicament. »

C'est ce type d'histoire que retiendront les médecins hygiénistes de la fin du XVIIIe siècle. Elle est chez Garman, à la fin du XVIIe siècle, un type de cas parmi d'autres.

Garman tend en revanche à donner une importance toute particulière aux *Schmaetzende Tode*, puisqu'ils lui ont fourni le titre du chapitre. C'est quelque chose de terrible : *magis animum tenet suspensum*. « Avant l'attaque d'une épidémie mortelle [donc un présage, comme les sons qui sortaient du tombeau de Gerbert; aux XVIe et XVIIe siècles, il annonce ici la peste], des défunts enterrés, en particulier du sexe faible [attention : on sait que les sorciers sont presque toujours des femmes], dévorent leur suaire et leurs vêtements funèbres en poussant un cri aigu pareil à celui des porcs quand ils mangent, d'où le nom populaire de *Schmaetzende Tode*. Ils les sucent, les mangent, les dévorent, les avalent tant qu'ils peuvent. »

Il n'est pas possible de contester l'exactitude d'un tel phénomène. Il a été observé très souvent, près de Fribourg en 1552, en Lusace et en Silésie en 1553, à Martisborg en 1565, à Schiefelbein en 1581-1582, et ailleurs. Quand un tel fait arrive, c'est le signe d'une terrible épidémie qui s'abat sur une ville, ou sur une famille.

Avertis, les hommes du pays tentent de corriger la violence par la violence. « Ils ouvrent les tombeaux, arrachent de la mâchoire des morts le suaire qu'ils avalent. Et, d'un coup de bêche, ils tranchent la tête du cadavre mangeur, pensant ainsi mettre fin, en même temps qu'à la morsure et à la succion, à l'épidémie qu'elle annonce. » Cela s'est passé en Pologne, en 1572, et la peste n'a cessé que lorsque les cadavres ont été décapités. Étaient-ils des corps de sorcières? Garman renvoie à un passage du *Malleus maleficarum*, que je cite dans la traduction récente du Pr A. Danet : « L'un de nous, Inquisiteurs, trouva une ville [forte] quasiment vidée de ses habitants par la mort. Par ailleurs, le bruit courait qu'une femme [morte] et enterrée avait petit à petit mangé le linceul dans lequel elle avait été ensevelie; et que l'épidémie ne pouvait cesser tant qu'elle n'aurait pas mangé le linceul entier et ne l'aurait pas digéré [Garman a laissé tomber cette croyance]. On tint conseil à ce sujet. Prévôt et maire de la ville, creusant la tombe, trouvèrent presque la moitié du linceul engagé dans la bouche, la gorge et l'estomac, et déjà digéré. Devant ce spectacle le prévôt, bouleversé, tira son épée, et coupant la tête la jeta hors de la fosse, et la peste cessa. »

A vrai dire, Garman ne croit ni à la puissance des sorciers morts (morte la bête, mort le venin) ni à l'efficacité d'une mesure qui s'attaque aux signes et non pas à la cause. Il n'empêche que les faits demeurent, et notre auteur essaie de les expliquer : action des vampires ou des sorciers, d'animaux nécrophages, effets de l'épidémie sur les cadavres des pestiférés (une cause entre d'autres, à laquelle Garman ne donne pas une priorité évidente), effets du grand feu intérieur de la Terre. Mais toutes ces causes, où se mêlent le merveilleux et le naturel, n'emportent pas la conviction. Le véritable auteur de ces phénomènes macabres est le Démon, instrument de la colère et de la vengeance de Dieu : *corporum princeps*, dit Garman en citant la cabale, *Dei Carnifex*, en citant Luther.

C'est lui qui *sub persona mortuorum* crie, mord, mange dans les tombeaux. *Sub persona* doit s'entendre : sous les apparences du cadavre; car Garman avance, d'ailleurs avec timidité, l'hypothèse que ces phénomènes n'appartiennent peut-être pas tous à la réalité, mais à l'illusion, chez une population affolée par la peur de la peste : « Le démon ne crie peut-être pas dans les tombeaux des morts, mais à l'oreille des vivants superstitieux. » Une hypothèse entre d'autres, elle ne change rien à l'essentiel : l'intervention des démons qui se réjouissent du malheur futur des hommes, et tentent de les détourner de la crainte de Dieu par des prodiges. Laissons là Garman à des spéculations démonologiques qui se situent dans la ligne de Bodin, souvent cité. L'important, pour notre propos, est de constater que le cimetière — ou même l'église en tant que lieu de sépulture — est devenu un espace habité par le diable, et mal défendu par les bénédictions rituelles, car la bénédiction des sépultures est alors interprétée comme un exorcisme, comme un moyen d'écarter le diable. Précaution qui n'empêche pas les Russes, paraît-il, selon Thomas Bartholin, de sabrer l'air des cimetières en prononçant une formule destinée à renvoyer en enfer les démons présents. En réalité, nous le savons, on consacrait l'église et sa cour, l'atrium, pour la séparer du monde profane. On n'a pas béni cet espace à cause des morts. Mais on a enterré les morts dans cet espace parce qu'il était déjà consacré. Les auteurs du XVIe et du XVIIe siècle ont oublié ces raisons, et ils interprètent la bénédiction en fonction de l'attirance qu'ils imaginent désormais entre le diable et le cimetière.

Il s'agit en effet d'un nouveau concept, né à la fin du XVe et au XVIe siècle, et, plutôt que dans le peuple, chez des *litterati*, hommes de science et d'église, les mêmes qui organisaient la chasse aux sorcières.

Au Moyen Age, le cimetière était un lieu public, de rencontre, de jeux malgré l'étalage des os dans les charniers, l'affleurement des morceaux de cadavres mal recouverts. Les odeurs, plus tard dénoncées comme maléfiques d'abord, insalubres ensuite, existaient certainement, on n'y prêtait aucune attention. D'autre part, le démon n'intervenait au cimetière que pour réclamer un corps qui lui avait été dérobé par une malice du défunt, privé autrement par ses péchés du droit de reposer en terre sainte. C'est que l'enterrement *ad sanctos* impliquait le salut éternel. Le pape Grégoire Ier raconte des histoires de ce genre arrivées à des moines de son couvent. Les morts damnés ne revenaient pas au cimetière : ils hantaient plutôt le lieu de leur mort, comme les champs de bataille où ils avaient péri. On peut admettre que cet état d'esprit médiéval est demeuré très longtemps dans les couches populaires : encore au XVIIe et au XVIIIe siècle, le cimetière des Innocents était toujours un lieu de rencontre et de promenade. C'est pourquoi je suppose que le changement est venu plutôt des *litterati*, de leur interprétation scientifique des émotions populaires. L'espace du cimetière et des tombeaux a donc été, autour du XVIe siècle, occupé par le diable, et les phénomènes qui avaient sans doute toujours existé dans l'indifférence générale ont été alors attribués au diable, et ils sont devenus des prodiges fascinants et terribles; et les savants, médecins, astrologues, alchimistes, compilateurs d'histoires naturelles lui ont consacré de longues analyses. Le chapitre *De cadaveris... sonantibus* de Garman a trente-six pages de composition serrée!

L'intérêt porté à ces manifestations a été encore accru par la crainte des épidémies, des pestes, dont on se préoccupait d'empêcher la contagion. Une relation constante était désormais établie entre la peste, le démon et les prodiges des morts. Une science des cadavres et des tombeaux est née alors, éparse dans beaucoup des livres cités par Garman, liée à la fois à la médecine, à la démonologie, à l'astrologie, à l'histoire naturelle, à l'observation naïve : science dont le *De miraculis mortuorum* veut être le manuel.

Les cas d'infections, de dégagements de gaz et d'odeurs fétides ont leur place dans ce manuel, mais parmi beaucoup d'autres phénomènes dont le sens critique d'aujourd'hui n'admet plus la réalité physique.

Dans la seconde moitié du XVIIIe siècle, les médecins, au

nom d'une conception nouvelle qui est déjà la nôtre, récusèrent la science humaniste des cadavres, et ils firent un tri dans le répertoire des phénomènes rapportés par leurs prédécesseurs. Ils rejetèrent les prodiges qu'ils attribuèrent à la crédulité, et ils retinrent ceux qu'ils avaient observés dans leur vie de tous les jours : c'est-à-dire les faits divers qui prouvaient l'insalubrité des cimetières et des pratiques habituelles d'enterrement.

Ainsi ces faits divers ont été d'abord reconnus comme diaboliques par ceux qui les ont découverts les premiers, avant d'être, à la fin du XVIIIe siècle, interprétés en termes d'hygiène dans une conception scientifique très proche de la nôtre *.

* Communication à la Société de démographie historique, mai 1974.

5

Du sentiment moderne de la famille dans les testaments et les tombeaux

Cet article propose quelques réflexions sur la naissance du sentiment moderne de la famille, inspirées par les clauses pieuses des testaments et par les tombeaux.

Mais, d'abord, de quelle « famille » s'agit-il? Il ne s'agit ni de la famille patriarcale, étendue à plusieurs ménages ou à plusieurs générations, et qui n'a peut-être existé qu'exceptionnellement, ni de la famille nucléaire contemporaine, réduite aux parents et aux enfants encore dépendants.

Une fable de La Fontaine (IV, 22) dit bien ce qu'on entendait par famille dans les années 1660 où elle fut composée.

L'alouette a fait son nid dans les blés un peu tard dans la saison et elle guette le jour de la moisson pour « déloger tous sans trompette ». Elle charge les oisillons de bien écouter les propos du maître du champ, quand il fait le tour du propriétaire avec son fils :

Le possesseur du champ vient avecque son fils.
Les blés sont mûrs, dit-il, allez chez nos amis
Les prier que, chacun apportant sa faucille,
Nous vienne aider demain dès la pointe du jour.

Le groupe des amis est le premier qui est invité. Il est trop lointain et trop indifférent :

L'aube du jour arrive et d'amis point du tout.

Le maître a compris qu'il ne pouvait pas compter sur ses amis. Cependant, l'amitié jouait alors dans les vies un rôle plus grand que de nos jours, et dans les testaments on témoignait aux amis une considération égale à celle due aux parents. Un testateur de 1646 prie sa femme et ses enfants « de prendre l'advis et conseil [pour la sépulture et l'enterrement] en toute l'affaire de Messieurs [illisible], ses bons amis, lesquels il supplie très humblement, comme ils luy ont fait l'honneur de l'aymer vivant, qu'après sa mort ils ayent agréable de continuer cette affection envers les siens... ».

La négligence des amis était faute grave et pas commune. Le maître doit passer outre :

> *Mon fils, allez chez nos* parents
> *Les prier de la même chose.*

Il est clair que ces parents n'habitent pas avec le maître et son fils (« allez chez nos parents »), mais ils peuvent être très proches par le sang ou l'alliance. Aussi comprend-on l'épouvante des petits oiseaux : « Il a dit : ses parents. » Mais les parents non plus ne sont pas venus. Le maître alors tire la morale et dit à son fils qui l'accompagne toujours :

> *Il n'est meilleur ami ni parent que soi-même*
> *Retenez bien cela, mon fils. Et savez-vous*
> *Ce qu'il faut faire? Il faut qu'avec* notre famille
> *Nous prenions dès demain chacun notre faucille...*

Le texte est clair. La famille, dans ce cas, exclut les « parents » qui vivent ailleurs, mais comprend tous ceux qui habitent sous le même toit, fils et serviteurs compris, qui dépendent du même « maître » : « *notre* famille ». Le maître de la famille est aussi celui du champ. Pendant longtemps on n'a pas distingué les notions, aujourd'hui bien séparées, de paternité et de propriété, de famille et de patrimoine. La Fontaine au XVIIe siècle faisait la même confusion que saint Jérome au IVe. Celui-ci traduisait par *pater familias* le mot grec *oikodespotes*, littéralement maître de la maison. Le *pater familias* de la Vulgate n'est pas nécessairement un père de famille, au sens d'aujourd'hui, mais un possesseur d'hommes et de biens : le maître de la vigne. Il faut en conclure qu'un pauvre ne pouvait être *pater familias*.

Pendant la première moitié du XVIIIe siècle, le style et le ton des testaments ont changé, et aussi leur fonction : ce changement est en relation avec le sentiment de famille.

Jusqu'au début du XVIIIe siècle, cette fonction était ce qu'elle n'avait pas cessé d'être depuis le Moyen Age : religieuse. Le but du testament était de contraindre l'homme à penser à la mort quand il était encore temps. Sans doute, au XVIIe siècle, le testament n'était plus enregistré par les curés, on ne le considérait plus tout à fait comme un suffisant « passeport pour le ciel [1] », et on n'interdisait plus la terre d'Église au mort intestat, comme à un excommunié. Mais, si le testament n'était plus un acte presque sacramental, il restait toujours un acte religieux où le testateur exprimait, par des formalités plus spontanées qu'on ne le croit, sa foi, sa confiance dans l'intercession de « la Cour céleste », et disposait de ce qui lui était encore le plus cher : son corps et son âme. La plus longue partie du texte est toujours *ad pias causas :* la profession de foi, la confession des péchés et la réparation des torts, l'élection de sépulture et, enfin, les nombreuses dispositions en faveur de l'âme : messes, prières, qui commençaient dès l'agonie et étaient distribuées à dates fixes, à perpétuité. On est frappé par la minutie des détails : le testateur ne laissait rien ni au hasard ni à l'affection des siens. Tout se passe comme s'il n'avait plus confiance en personne. Certes son lit de malade était entouré de parents, d'amis « spirituels » et « charnels ». La chambre d'un mourant était un lieu public. Mais parents, amis devenaient étrangers au drame qui se passait là, et qu'ils ne voyaient pas; ce drame mettait aux prises le mourant, le Juge divin, les accusateurs diaboliques, les saints avocats. Le mourant était bien seul. A lui seul de prendre ses garanties pour son salut, par assurance de droit, selon les clauses de ce contrat de salut qu'était le testament. Il ne peut compter que sur lui, il doit imposer ses volontés à ses héritiers, femme ou enfants, monastère ou fabrique. Avec l'âpreté du procédurier

1. L'expression est de J. Le Goff.

qu'était tout homme de l'Ancien Régime, il ne fait grâce d'aucun détail : ni d'un gramme de cire ni d'un *De profundis*. Il prescrit que les legs pieux et leur destination soient affichés dans l'église sur une matière impérissable, pierre ou laiton, pour forcer l'oubli des générations futures. Rarement le testateur s'en remet à la discrétion d'un époux, d'un ami, et, quand il le fait, c'est plutôt par volonté d'humilité et de simplicité que par confiance absolue.

Ainsi la famille ne participe-t-elle pas aux dispositions que prend le testateur pour le repos de son âme et le choix de sa sépulture. On en vient même à se demander si elle assistait toujours au service et à l'enterrement. Le deuil contraignait la veuve à rester à la maison. Pourquoi le testateur doit-il, dans certains cas, exiger la présence de ses enfants, comme si elle n'allait pas de soi?

Quoiqu'il en soit, la famille est absente, sinon des cérémonies funéraires, du moins des clauses religieuses du testament (sauf de l'élection de sépulture, comme on verra plus loin).

Que se passe-t-il au XVIIIe siècle? La famille n'est pas devenue apparemment beaucoup plus présente, mais son silence a un autre sens, car la fonction et le but du testament ont changé, et la famille s'est substituée au testament pour l'accomplissement des vœux pieux.

On remarque en effet que les clauses religieuses ont été expédiées en quelques phrases conventionnelles, quand elles n'ont pas disparu. Le testament n'est plus que ce qu'il est resté jusqu'à nos jours, un acte de droit privé, pour la répartition des biens du défunt.

Comment expliquer ce changement? On pense tout de suite au progrès de l'indifférence religieuse à l'époque des Lumières. Mais nous savons que la pratique religieuse n'était alors pas moins répandue qu'au XVIIe siècle, et qu'elle l'était probablement plus qu'au XVe ou au XVIe. Les fondations religieuses restaient en effet importantes. D'autre part, il existe, en particulier dans la France méridionale, des signes indiscutables de la fidélité du XVIIIe siècle aux dévotions de la mort : presque chaque église a une chapelle de la bonne mort ou des âmes du

Purgatoire, et une iconographie nouvelle du Purgatoire a été créée à cette époque [1].

On ne peut donc expliquer la disparition des clauses pieuses du testament par une laïcisation anachronique du sentiment religieux.

C'est la relation entre l'homme et les siens qui a changé : l'homme qui sait sa mort prochaine a cessé d'être seul devant son destin. Les parents, la famille, qui étaient autrefois tenus à l'écart de la scène finale, ont accompagné le mourant jusqu'à son dernier réduit, et, de son côté, le mourant a accepté de partager avec eux le moment qu'il réservait autrefois à Dieu ou à soi-même. Sans doute a-t-il fallu alors un changement de l'eschatologie commune, une crainte diminuée du Jugement et de l'Enfer, ou de l'Au-delà, mais il a fallu surtout, chez le dévot comme chez l'incroyant, un changement du sentiment familial. Le mourant n'a plus la même attitude de méfiance à l'égard de ses proches : il n'a plus besoin de garanties légales, de témoins, de notaire, pour assurer le respect de ses dernières volontés, du moins de celles qui concernent son corps et son âme (pour ses biens, les anciennes précautions sont toujours légitimes!). Il suffisait que ses volontés aient été oralement exprimées pour qu'elles engageassent les chers survivants. Une confiance affectueuse avait succédé à la méfiance. Dans l'ancienne société le mourant affirmait à la fois son indépendance à l'égard des siens et la dépendance des siens à son égard. Depuis le XVIIIe siècle, le mourant s'est abandonné, corps et âme, à sa famille. La disparition des clauses sentimentales et spirituelles du testament est le signe du consentement du malade ou du mourant à son effacement et à sa prise en charge par sa famille.

1. G. et M. Vovelle, « La mort et l'au-delà en Provence d'après les autels des âmes du Purgatoire », *Annales ESC*, 1969, p. 1601-1634. [Cet article a été écrit avant la lecture de *Piété baroque et Déchristianisation* de M. Vovelle, *op. cit.*]

Nous avons dit que dans l'ancienne société, jusqu'au XVIIe siècle, l'homme devenait seul à l'approche, ou à l'idée, de la mort. C'était en vérité l'âme qui était seule. Pendant le premier millénaire, on ne concevait pas la mort comme une séparation de l'âme et du corps, mais comme un sommeil mystérieux de l'être indivisible. C'est pourquoi il importait essentiellement de choisir un lieu sûr pour y attendre *in pace* le jour de la résurrection. Depuis le XIIe siècle, on a cru que, à la mort, l'âme avait quitté le corps, qu'elle subissait aussitôt un jugement particulier, sans attendre la fin des temps : la solitude de l'homme devant la mort est l'espace où celui-ci prend conscience de son individualité, et les clauses pieuses du testament sont les moyens de sauver cette individualité de la destruction temporelle et de l'étendre au-delà. Les dispositions nouvelles concernant le repos de l'âme s'ajoutaient au souci traditionnel du choix de la sépulture. « Je donne mon âme à Dieu, je laisse mon corps en l'église des Augustins et en la sépulture des miens », écrit, en 1648, dans son testament un conseiller au parlement de Toulouse.

Si l'âme est seule devant la mort, (« je donne »), le corps est « laissé » à la fois à l'Église et à la famille. Au début du Moyen Age, la législation ecclésiastique avait hésité entre la préférence à la famille ou à la paroisse dans le choix de la sépulture : la famille l'a emporté. Du XIVe au XVIIIe siècle, le choix de la sépulture s'inspire donc de deux considérations : la piété religieuse à la paroisse, à un ordre religieux, à un saint, à une confrérie — et la piété familiale : « A l'église Saint-Sernin, sa paroisse, dans la sépulture de ses ancêtres » (1690); « dans la cour de l'église Saint-Sernin où sont mes deux sœurs » (1787); « au cymetière des Saints-Innocents à l'endroit où sa femme et ses enfants décédéz sont inhumés » (1604).

Si on s'en tenait à la littérature testamentaire, on dirait que le sentiment familial était réservé à la période *post mortem*. Se tromperait-on? La famille n'était pas alors destinée à encadrer la vie quotidienne, elle intervenait surtout quand cessait la « quotidienneté », soit dans les grandes crises de la vie, soit à la mort. Depuis le XVIIIe siècle, la famille est entrée dans la « quotidienneté » et l'a presque entièrement occupée.

Aussi le caractère apparemment familial des sépultures, depuis la fin du Moyen Age, est-il le signe d'une solidarité collective traditionnelle plutôt que l'expression d'une affectivité moderne. Il ne faut donc pas lire les clauses testamentaires avec le sentiment d'un homme d'aujourd'hui.

Et d'abord, qu'est-ce que cela voulait dire : être enterré près de ses ancêtres ou de sa femme?

Oublions un moment ce que l'histoire de l'art nous apprend avec abondance de la sculpture funéraire. Car les tombeaux ainsi matérialisés par un monument furent longtemps rares et réservés aux plus grands de l'Église, de la Noblesse ou de la Robe. La plupart des testaments ne parlent pas de monuments. Ils désignent l'endroit de la sépulture, mais ne se préoccupent pas souvent de la rendre visible. L'endroit de la sépulture demeure anonyme. Quand un testateur choisissait la même sépulture que ses ancêtres, ou son conjoint, cela voulait dire, non pas qu'ils seraient réunis dans un même tombeau, mais que leurs corps seraient dans la même enceinte religieuse, en une zone désignée par les mêmes dévotions, et pas loin l'un de l'autre. On souhaitait seulement : le plus près possible : « En l'église du Val-des-Écoliers en la place ou joignant de feu Madame sa femme » (1401); « Aux Saints-Innocents près du lieu où furent sépulturez son père et sa mère, ou autre lieu près d'iceluy » (1407); « Le plus près que faire se pourra », dit-on souvent aux XVIe et XVIIe siècles. En revanche, on précisera avec un grand luxe de détails l'endroit, s'il a été choisi à cause d'une dévotion particulière.

Du XIIIe au XVIIe siècle, l'habitude deviendra de plus en plus fréquente de désigner, par une inscription, une image peinte, un monument, l'endroit précis de la sépulture ou seulement sa proximité : ces signes évoqueront la famille, par le blason, par le portrait des défunts et de leurs enfants agenouillés.

Mais nous nous attacherons ici à un autre aspect de l'évolution qui enlève les morts à l'anonymat, et les réunit dans ce qui deviendra au XIXe et au XXe siècle en France le « caveau de famille » : c'est l'histoire d'un tombeau collectif et déjà familial : la « chapelle funéraire ». Ce nom de chapelle funéraire, les contemporains ne le connaissaient pas. On disait une chapelle, on fondait ou on concédait une chapelle, ce qui comprenait à la fois l'édifice, le culte qu'on y célébrait à des intentions définies, le prêtre ou chapelain qui recevait un revenu et, enfin, la « cave » voûtée à usage funéraire. Il y avait des chapelles de particuliers, c'est-à-dire de familles, et des chapelles de confréries. Au XVIIe siècle, on ne dit plus seulement une chapelle, et on parle aussi bien de « cave », comme si l'usage funéraire l'emportait. En 1604, les marguilliers de l'église Saint-Jean-en-Grève concèdent à Jérôme Séguier, conseiller d'État, président au Grand Conseil, une « cave » « sous et proche » l'autel de la chapelle construite du côté du cimetière, avec le droit d'y mettre une ou plusieurs épitaphes, « en considération du don fait par le dit Président d'une verrière pour la dite chapelle ». Sans doute, selon l'usage, le président donateur s'était-il fait peindre en priant dans un coin de cette verrière.

Ces signes visibles témoignaient du caractère à la fois funéraire et familial de la chapelle, sans qu'il fût toujours nécessaire d'y ajouter un monument plus explicite : la chapelle entière était le tombeau.

A Saint-Jean-en-Grève, en 1642, les marguilliers accordent aux trois enfants de Jehan de Thimery « de faire transporter le corps de leur père du lieu où il est inhumé dans ladite église [en pleine terre, mais peut-être dans un cercueil de plomb] dans l'une des caves sous la chapelle de la Communion qui est la quatrième et dernière près de la porte donnant accès aux charniers, pour y demeurer à perpétuité et y mettre les corps de sa famille. Dans laquelle chapelle les marguilliers leur ont permis de faire mettre une épitaphe suivant les dispositions du dit défunt. »

A Saint-Gervais, en 1603, le sieur Niceron reçoit de la fabrique le droit de faire bâtir « une chapelle et oratoire à ses dépens », fermant à clé. « La dame Niceron, ses enfants, postérité et ayants cause à toujours » y pourront « ouyr le service divin et y faire une cave de la même largeur quand bon leur semblera et y faire inhumer les corps du dit sieur, enfants et ayants cause ». C'était souvent à l'intérieur de cette chapelle, à des bancs qui leur étaient réservés et au-dessus de leurs morts, que les membres vivants de la famille assistaient à la messe.

Un testament de 1652 montre comment le budget d'une chapelle comportait à la fois la création de la cave et l'entretien d'un chapelain : le testateur veut qu'après sa mort son corps et celui « de ma très chère et bien-aimée jadis épouse » soient « portés ensemble en mon église de Courson et y seront mis l'un et l'autre dans la cave de ma chapelle que j'y ai fait bastir pour cet effet et moyennant donation »... « à la charge qu'il sera pris trois cents livres par chacun an... pour l'entretien d'ung chapelain que je veux et entend qui célèbre tous les jours de l'année à perpétuité la Sainte Messe dans ma chapelle de l'église du dit Courson en memoyre de moy et de feu ma femme ».

Ces chapelles restaient dans la famille. En voici une qui, en 1661, appartenait à la famille Thomas depuis plus d'un siècle. Charles Thomas, procureur au Châtelet, veut être enterré en « l'église des Révérents Pères Carmes de la place Maubert, en la sépulture de ses ancêtres qui est en la chapelle Saint-Joseph, sous une grande tombe [sans doute une grande dalle comme il en existe avec l'inscription : Sépulture de X et des siens]... où sont enterrés Jean Thomas et Nicole Gilles... ses ayeul, et ayeulle, Me Jean Thomas, receveur des Aydes et autres tailles à Nemours, et Pierrette Coussé, sa femme, ses père et mère, Duquel Jean Thomas ayeul il y a en ladite chapelle une épitaphe de cuivre et de marbre [distincte de la « grande tombe »] lequel épitaphe porte fondation d'une messe pour chacun jour de Vendredy à perpétuité à neuf heures, y ayant plus de cent ans que ladite épitaphe est posée; en laquelle sépulture sont aussi enterrées Catherine et Marie Thomas ses sœurs ».

Ces chapelles étaient les seules tombes de famille qu'ait connues l'Ancien Régime. Il était d'usage que les chapelles latérales des églises appartinssent ainsi à une famille ou à une confrérie. Quand, à Nice, la cathédrale fut reconstruite d'un seul coup au XVIIe siècle dans le quartier bas où la ville avait glissé depuis son acropole médiévale, les chapelles latérales furent bâties soit aux frais des Doria, des Turati, des Torrini, soit par les confréries de maçons, de tailleurs de pierre.

Les chapelles latérales des églises à usage funéraire, même divisées, étaient insuffisantes pour devenir un mode commun de sépulture. Elles appartenaient à des familles aristocratiques et riches. Malgré leur petit nombre, elles correspondirent, au XVIIIe siècle, à une image idéale de la sépulture, car elles servirent de modèle aux tombeaux de l'époque romantique.

On sait que, à la fin du XVIIIe siècle, on interdit en France d'inhumer dans les églises et dans les villes : des cimetières furent créés aux portes de Paris. On y édifia deux sortes de monuments : les uns, petits, destinés à un individu ou à un couple, s'inspiraient de formes antiques et d'un symbolisme traditionnel, stèle, colonne brisée, sarcophage, pyramide... D'autres, plus grands, étaient des copies de chapelles gothiques et étaient destinés à une famille. Au cimetière du Père-Lachaise, la première de ce type, vers 1815, est la « chapelle sépulchrale de la Famille Greffulhe », reproduite dans les guides de l'époque.

Ainsi, pendant la première moitié du XIXe siècle, l'usage de la tombe de famille est devenu commun, et celle-ci a pris la forme de la « chapelle ».

Les premières tombes collectives des nouveaux cimetières ont donc été des imitations à peine diminuées des chapelles latérales des églises. Ensuite, au milieu du siècle, le procédé devint banal, on miniaturisa la chapelle, on la réduisit à un tout petit édicule, mais en conservant ses formes et ses éléments, la grille d'entrée, les vitraux, l'autel, les cierges et le prie-Dieu : Famille X. Dans ces tombes de famille, des dizaines de corps ont été parfois accumulés pendant plus d'un siècle, grâce à des regroupements autorisés par la législation. La forme de la chapelle gothique fut abandonnée à la fin du siècle.

Au XIXe et au début du XXe siècle, et encore aujourd'hui dans les classes populaires, les Français témoignent d'un grand attachement à ces tombes de famille où reposent fréquemment trois ou quatre générations.

Dans un monde changeant, dans une société mobile, la tombe est devenue la vraie maison de famille. Dans une localité de la banlieue parisienne, il y a juste quelques années, une vieille blanchisseuse avait acheté en hâte, de son vivant, son tombeau comme un prince de la Renaissance. Elle destinait ce tombeau aussi à ses enfants. Un jour, elle se brouilla avec son gendre. Alors, pour le punir, elle le chassa du seul lieu qu'elle considérait comme à jamais le sien : « Je lui ai dit qu'il ne serait jamais enterré dans mon tombeau. »

Voilà donc comment on passe des chapelles de donateurs dans les églises du XIVe au XVIIIe siècle, aux caveaux de famille de nos cimetières contemporains.

Dès son origine, la chapelle « privée » a été considérée comme un lieu réservé à la famille et à ses morts. Dans l'un des textes cités ci-dessus, on a remarqué que l'acquéreur d'une chapelle avait fait exhumer le corps de son père pour le transporter dans sa cave, où descendraient à leur tour les autres membres de la famille. L'enterrement dans la « cave » réservée à une famille s'oppose à l'inhumation commune, solitaire et anonyme. Le besoin de réunir à perpétuité, dans un lieu préservé et clos, les morts de la famille correspond à un sentiment nouveau qui s'est ensuite étendu à toutes les classes sociales au XIXe siècle : l'affection qui lie les membres vivants de la famille est reportée sur les morts. Aussi le caveau de famille est-il peut-être le seul lieu qui corresponde à une conception patriarcale de la famille, où sont réunis sous le même toit plusieurs générations et plusieurs ménages *.

* Cet article a fait l'objet d'une communication au Colloque sur la famille, Cambridge, Group for Population Studies, sept. 1969.

6

Contribution à l'étude du culte des morts à l'époque contemporaine

Il semble bien que, au Moyen Age chrétien et pendant de longs siècles, les morts n'aient pas causé de grandes difficultés aux vivants. Il ne nous est pas toujours facile aujourd'hui d'imaginer avec précision les pratiques funéraires de ce temps, et d'en pénétrer le sens. Les textes doivent être recherchés dans les collections canoniques, les visites des évêques, les statuts des confréries; ils ne laissent pas bien voir comment les choses se passaient vraiment. Mais ce silence est aussi significatif. Il semble bien que la société était alors satisfaite de sa conduite envers les morts, qu'elle n'avait aucune raison de la modifier et par conséquent de la décrire. On ne parle pas des choses si familières qu'on ne les aperçoit plus.

Ce silence, à peine interrompu au moment des guerres de religion pour interdire aux réformés les cimetières catholiques, cesse soudain au milieu du XVIIIe siècle. C'est alors un grand mouvement de contestation : de nombreuses publications, des mémoires, des pétitions, des enquêtes traitent des inhumations et des cimetières, et révèlent, par leur quantité et leur sérieux, combien désormais l'opinion était devenue troublée, et troublée en profondeur, par des pratiques funéraires qui avaient laissé insensible pendant des siècles. Voici que maintenant les morts faisaient question.

Pour comprendre l'inquiétude nouvelle du XVIIIe siècle, il faut savoir quel était alors « l'état des cimetières » (l'expression est de l'époque), et leur place dans les sensibilités et les mentalités du Moyen Age.

Nous dirons, pour aller vite, qu'au Moyen Age on enterrait *ad sanctos*, soit le plus près possible des tombeaux des saints ou de leurs reliques, dans un espace sacré qui comprenait à la fois l'église, son cloître, ses dépendances. Le mot de *coemeterium* ne désignait pas nécessairement le lieu réservé aux inhumations mais l'*azylus circum ecclesiam*, tout l'enclos qui entourait l'église et qui bénéficiait du droit d'asile. On enterrait partout dans cet enclos, dans l'église et autour de l'église, dans les cours, *atrium*, dans les cloîtres qui prirent le nom de charniers et devinrent les cimetières au sens restreint que nous avons conservé aujourd'hui. Chacun précisait dans son testament, dont c'était l'un des objets, le lieu qu'il avait choisi pour sa dernière demeure, selon ses dévotions personnelles : dans la nef de l'église des Cordeliers, près de la chapelle de la Vierge, ou « entre le grand autel et l'uis du revestiaire », au cimetière des Chartreux de Paris entre les deux croix de pierre qui y sont, au cimetière des Innocents près de la croix Notre-Dame... Les sites les plus recherchés étaient les plus proches des saintes reliques et des autels où on célébrait l'office divin. Les plus pauvres ou les plus humbles étaient relégués dans ce qui est devenu le cimetière, c'est-à-dire le plus loin possible de l'église et de ses murs, au bout de l'enclos, au milieu du cloître, dans de profondes fosses communes. On a peine à imaginer l'entassement des cadavres qu'abritèrent pendant des siècles nos églises et leurs cloîtres! Périodiquement, afin de faire de la place, on retirait du sol des églises et des cimetières les os à peine secs et on les empilait dans les galeries des charniers, dans les greniers de l'église, sous les reins des voûtes, ou encore on les enfouissait dans des trous inutilisables, contre murs et piliers.

Ainsi visiteurs de l'église, chalands des boutiques du cimetière — car les galeries des cimetières servaient souvent de marchés — risquaient à chaque fois de rencontrer quelque déchet humain tombé d'un ossuaire ou oublié par un fossoyeur. Voilà qui en dit long sur les mentalités médiévales.

L'antiquité gréco-romaine avait interdit d'enterrer à l'intérieur du *pomerium :* les tombes étaient disposées le long des routes qui quittaient la ville. Le christianisme primitif n'admettait pas non plus l'enterrement dans les églises, sauf des exceptions précises. Mais le sentiment a été plus fort que les interdictions canoniques et il a transformé les églises et leurs dépendances en une incroyable concentration de cadavres et d'ossements.

L'inhumation dans l'église ou près de l'église répondait à l'origine au désir de bénéficier de la protection du saint au sanctuaire de qui on confiait son corps mort. Ensuite, les clercs, gênés par les allures superstitieuses de cette dévotion, entreprirent de la justifier autrement. On enterrait les morts dans un lieu à la fois de culte et de passage comme l'église, afin que les vivants se souvinssent d'eux dans leurs prières et se rappellassent que, comme eux, ils deviendraient cendres. L'enterrement *ad sanctos* était considéré comme un moyen pastoral de faire penser à la mort et d'intercéder pour les morts.

A partir du XVIe siècle et surtout au XVIIe, sous l'influence de la Réforme catholique, une évolution nouvelle apparaît. Les auteurs religieux n'hésitent plus à condamner carrément la fausse piété funéraire du Moyen Age. Un célèbre éducateur du règne de Louis XIV, le père Porée, un jésuite, écrivait : « Les peuples s'imaginaient que leurs âmes auraient plus de part aux prières et aux sacrifices lorsque leurs corps seront plus près des autels et des prêtres. De là leur empressement à être mis dans les églises et jusque dans le sanctuaire, persuadés que les suffrages agissaient sur eux avec plus d'efficacité et à raison des distances. C'est ainsi qu'on donnait une sphère d'activité à des prières et à des cérémonies dont l'effet immédiat est tout moral. »

Une dévotion plus spirituelle, mais attentive aux signes physiques, invitait donc à négliger la destination terrestre du corps. Certes, il arrivait, depuis longtemps, depuis toujours, que par humilité, des personnes pieuses aient renoncé aux privilèges de l'enterrement à l'église auprès de leurs ancêtres ou de leurs époux. On abandonnait le choix de sa sépulture à son exécuteur testamentaire, on demandait d'être enterré là où on mourrait, parfois même au milieu des pauvres dans une fosse commune. Mais c'était par humilité chrétienne.

Ces clauses testamentaires vont devenir plus fréquentes, elles vont aussi changer de sens; elles ne témoigneront pas seulement d'un sentiment traditionnel d'humilité mais encore du peu de cas qu'on faisait désormais de son corps.

La religion ne donne donc plus autant d'importance au tombeau, ni à sa place près des saints, ni à son rôle de supplication des vivants. Au contraire elle recommande plutôt l'indifférence à l'égard de la sépulture. Le cimetière représente moins dans la sensibilité religieuse. Quoiqu'il demeure terre d'église, il se sécularise insensiblement.

Au XVIIe siècle, à Paris, plusieurs églises s'agrandirent pour répondre aux besoins liturgiques ou pastoraux de la Contre-Réforme. On construisit une chapelle de la communion, ou une salle pour le catéchisme, sur l'emplacement du vieux cimetière mitoyen, et la fabrique acheta pour le remplacer un terrain qu'on voulait le moins loin possible, mais qui n'était plus contigu à l'église. C'est ainsi que, souvent, dans les grandes villes et pour les besoins du culte plutôt que pour des nécessités démographiques, le lien physique entre le cimetière et l'église a été rompu. Le lien moral s'est aussi relâché et le cimetière tendait à se laïciser. Les juridictions temporelles y intervenaient plus souvent, et on admettait qu'y fussent enterrés, quoique sans cérémonie, des excommuniés, des pécheurs publics, à qui l'Église avait refusé des funérailles religieuses.

Il est remarquable que cette évolution s'est faite insensiblement, dans un silence qui ressemble beaucoup à de l'indifférence. Or cette indifférence ne s'explique pas toute par des motifs religieux. Je dirai plutôt qu'il y a deux sortes d'indifférence : une indifférence religieuse dont nous venons de parler, et une indifférence d'origine naturaliste. On a bien l'impression que le christianisme médiéval n'avait pas eu raison d'un vieux fonds de naturalisme primitif. Des historiens actuels du Moyen Age montrent comment il resurgit à chaque fois que fléchissent les contraintes disciplinaires de l'Église ou des princes. Dans le cas des morts, il avait été longtemps masqué par un fort sentiment eschatologique transmis au christianisme depuis de très anciennes croyances : vénération pour le lieu où le corps repose *ad sanctos*, foi dans la vertu des prières pourvu qu'elles soient nombreuses, surtout rapides : elles devaient commencer juste au dernier soupir, afin d'arriver à la cour céleste à temps, avant le jugement.

L'épuration de la piété au XVIIe siècle a évacué de l'eschatologie traditionnelle ce qu'elle avait de quelque peu enfantin. Elle n'a laissé subsister qu'une eschatologie savante, étrangère à la religion des laïcs et même de la plupart des clercs. Le naturalisme populaire s'est trouvé alors débarrassé des croyances qui le recouvraient, et qui étaient devenues superstitions. Tout se passe comme si le spiritualisme ascétique et théologique des dévots l'avait libéré.

Déjà la coexistence au même endroit, dans le cimetière médiéval, des inhumations et, à la fois, des réunions publiques, des foires ou des commerces, des danses et des jeux mal famés, indiquait qu'on ne marquait pas aux morts le respect que nous croyons leur devoir aujourd'hui : on vivait avec eux dans une familiarité qui nous paraît aujourd'hui presque indécente. La religion ne permettait pas cependant qu'on oubliât tout à fait que le cimetière était aussi un lieu saint, source de vie surnaturelle pour les morts aussi bien que pour les vivants. Si la religion négligeait les sépultures par purisme théologique, au XVIIIe siècle et surtout pendant la Révolution, faute de prêtres, les corps des défunts risquaient d'être souvent traités grossièrement, comme de simples déchets de voirie. Telle était la situation au milieu du XVIIIe, du moins est-ce ainsi que la décrivent les auteurs de la seconde moitié du siècle, sans que nous sachions très bien si leur indignation est due à une indécence réelle récente, ou s'ils n'ont plus pu supporter un état de choses très ancien, accepté pendant des siècles.

Toujours est-il qu'un seuil de tolérance a été franchi alors avec éclat. L'état des cimetières devint subitement un sujet d'actualité qui passionnait l'opinion. Les habitants voisins des cimetières commencèrent à se plaindre, à rédiger des pétitions, à poursuivre en justice les fabriques qu'ils rendaient responsables de l'insalubrité de leur résidence. Des médecins, des chimistes célèbres publièrent dans le même temps leurs observations de savants sur les dangers mortels des enterrements dans les églises : ils racontaient des cas effrayants d'enfants du catéchisme décimés après l'ouverture d'un caveau, de fossoyeurs foudroyés en éventrant maladroitement un cadavre. Magistrats et ecclésiastiques éclairés apportaient au débat le concours de leur érudition et de leur sagesse, ils montraient que l'enterrement dans les églises était contraire au droit romain comme au droit canon, un effet tardif des superstitions médiévales. De son côté, la Cour du Parlement, interprète de l'émotion générale, avait décidé de se saisir de la question et ordonné en 1763 une enquête sur l'état des cimetières parisiens et leur transfert hors de la ville.

Un sentiment domine cette abondante littérature de mémoires, de factums, de rapports : ce n'est pas encore tout à fait le scandale devant l'indécence d'une excessive familiarité des vivants et des morts, devant l'absence de respect des morts, quoique ce sentiment y fût déjà caché. C'est d'abord l'horreur et la crainte des corps décomposés, de leur redoutable chimie. On pensait que leur corruption s'étendait à toute la nature : elle atteignait les germes de la vie et les tuait. Les voisins des cimetières, dans leurs plaintes, signalaient qu'ils ne pouvaient conserver ni nourriture ni boisson. Les métaux même s'altéraient : « L'acier, nous dit un médecin, l'argent, le galon [le galon des passementeries] y perd[aient] facilement leur brillant. » On confondit alors sous une même épithète les odeurs de la peste et celles de la mort : les odeurs dites désormais pestilentielles.

La santé publique était donc menacée : les chairs mal consumées étaient dénoncées comme l'une des sources des épidémies que des « miasmes » transportaient le long des ruelles étroites, resserrées. Des chimistes interrogeaient la terre gorgée des églises et des cimetières et y suivaient comme au laboratoire les étapes monstrueuses de la décomposition.

D'étranges curiosités percent sous les apparences raisonnables, utilitaires, de ces recherches. C'est que le siècle des Lumières est aussi obsédé, ou fasciné, par la mort physique, le mystère des corps privés de vie. On voit resurgir l'image du squelette, de la momie que la fin du Moyen Age, l'époque des danses macabres, avait multipliée, dans un autre esprit cependant, qui n'est plus peur de l'au-delà, mais vertige devant le court espace de temps, plein de mystères connaissables, qui sépare la fin de la vie et le début de la décomposition. Pour des raisons qui ne sont pas toutes scientifiques, on dissèque dans les antichambres des hôtels ou des châteaux des cadavres souvent volés, on se passionne pour les cas de mort apparente, pour les ambiguïtés parfois érotiques de la vie et de la mort.

Ce sentiment macabre recouvrait beaucoup d'autres choses qui se révéleront par la suite; il était au fond prise de conscience de la présence des morts au milieu des vivants, des corps morts et non plus seulement de l'enveloppe d'une âme immortelle, ou de son double. Mais il fallait d'abord se débarrasser de l'horreur diffuse qui masquait tout le reste. Cette horreur s'est fixée sur le cimetière. Pour le procureur général de 1763 le cimetière n'apparaît pas comme un lieu de vénération et de piété. Il le deviendra sans doute plus tard, mais pour l'instant il est un foyer de pourriture et de contagion, ou, comme il dit, « demeure infecte des morts au milieu des habitations des vivants ». Il faut la détruire, il faut défoncer son sol à la charrue, le herser, lui arracher chairs et os pour les enfouir dans d'obscurs souterrains, dérobés à la vue des hommes et à la lumière du jour, assainir l'air par le feu des torches, raser enfin ce lieu affreux afin qu'aucun souvenir n'y persiste.

C'est exactement ce qu'on fit pendant deux hivers consécutifs, de 1785 à 1787, dans le vieux cimetière des Innocents, d'où on retira « plus de 10 pieds de terre infectée de débris de cadavre », où on « ouvrit 40 ou 50 fosses communes desquelles on avait exhumé plus de 20 000 cadavres avec leurs bières », d'où on transporta aux carrières de Paris, baptisées catacombes pour la circonstance, plus de 1 000 carrioles d'ossements. Imaginons cela, huit à neuf siècles de morts enlevés à une sépulture que beaucoup avaient pieusement choisie à leur dernière heure, emportés la nuit à la lueur des torches et des brasiers, en présence des prêtres, je veux bien; mais leur présence n'atténue guère le malaise dont personne aujourd'hui ne peut se défendre en lisant ces descriptions, et ce malaise est d'ailleurs à lui seul un important indice de changement des mentalités.

La destruction des cimetières *intra muros*, décidée sous le règne de Louis XVI, fut interrompue par la Révolution, et reprise après Thermidor. Le gouvernement du Consulat après une enquête de l'Institut sur laquelle nous reviendrons, décida leur remplacement définitif par les célèbres nécropoles aujourd'hui encore familières aux habitants et aux visiteurs de Paris : les cimetières du Père-Lachaise, de Montmartre, de Montparnasse.

Notons bien que, à l'époque de leur création, ces cimetières étaient situés hors de la ville. Leur éloignement répondait donc aux soucis prophylactiques des parlementaires des années 1760. Mais les administrateurs du Consulat n'avaient pas prévu qu'en quelques dizaines d'années l'agglomération parisienne rejoindrait les cimetières qu'on avait voulus extérieurs, et les annexerait dans ses nouvelles limites, celles du Paris haussmannien des vingt arrondissements.

Dès lors, la situation jugée désastreuse au XVIIIe siècle se trouvait reconstituée, il est vrai, avec plus de décence et d'hygiène, mais des administrateurs scrupuleux et actifs devaient-ils se satisfaire d'apparences sans doute trompeuses? Haussmann et ses collaborateurs avaient en effet hérité des parlementaires du XVIIIe siècle leurs idées sur les dangers des enterrements dans les villes. On comprend qu'ils se soient inquiétés du retour des foyers réputés d'infection et d'épidémie. C'est pourquoi Haussmann proposa de fermer les cimetières réunis à Paris, et déjà surpeuplés, comme le Parlement avait jadis décidé de supprimer les Innocents, et pour les mêmes motifs. Toutefois il prit des précautions que les parlementaires du XVIIIe siècle avaient négligées, signe de la différence des temps. Il n'était plus question de raser le Père-Lachaise, comme on avait rasé les Innocents. On se contenterait d'y suspendre les inhumations et de créer loin de Paris agrandi une vaste et magnifique nécropole. Il avait choisi Méry-sur-Oise, dans la direction de Pontoise, persuadé que la ville n'irait jamais jusque-là. Le progrès, les merveilles de la machine à vapeur permettaient, sans inconvénient pour des familles, de tenir moins compte qu'auparavant de la distance : une ligne spéciale relierait la nécropole à la capitale, ligne que les

Parisiens ont eu vite fait d'appeler le chemin de fer des morts.

Mais un événement remarquable se produisit : si les administrations préfectorales du second Empire, puis du début de la IIIe République avaient adopté les doctrines du XVIIIe siècle sur la nocivité des cimetières, l'opinion publique ne les suivait plus. Les projets d'Haussmann, puis du préfet Duval en 1881 soulevèrent une opposition si générale et si forte qu'il fallut les abandonner : la question ne sera reprise qu'après la guerre de 1914 et dans d'autres conditions géographiques et morales.

Qu'est-ce à dire? L'horreur du XVIIIe siècle avait survécu comme doctrine dans les bureaux, mais elle avait été exorcisée, et l'opinion ne la comprenait plus. Des publications scientifiques démontraient au contraire que les cimetières n'ont jamais été insalubres, que les cas extraordinaires cités par les auteurs du XVIIIe siècle étaient légendaires ou mal interprétés, faute d'une connaissance véritable des phénomènes. Mieux encore : non seulement le voisinage des cimetières n'inquiète plus, mais les habitants des villes tiennent à leur présence parmi eux, ils les estiment tutélaires. Ils donnent leurs raisons : « L'homme prolonge au-delà de la mort ceux qui ont succombé avant lui... il institue pour leur mémoire un culte [nous y voilà : un culte] où son cœur et son esprit s'efforcent de leur assurer la perpétuité. » Ce culte des morts et des tombeaux qui en sont le signe est « un élément constitutif de l'ordre humain », « un lien spontané des générations pour la société comme pour la famille ». Le préfet Haussmann veut fermer les cimetières de Paris, il tuera le culte des morts, Paris sans cimetières ne sera plus une ville et la France sera décapitée.

Dans ces citations du livre du Dr Robinet : *Paris sans cimetières*, paru en 1869, on reconnaît sans peine le vocabulaire et les idées d'Auguste Comte. Mais il est important de bien observer qu'il ne s'agit pas là du commentaire d'un philosophe isolé, ou d'un intellectuel peu engagé. Ici le positivisme exprime les sentiments d'une masse populaire, des artisans et des petits commerçants qui composaient encore le peuple de Paris entre 1860 et 1880, le Paris de la Commune. Voici une adresse au conseil municipal du 29 mai 1881. Elle est signée de Laffitte, « directeur du positivisme », et aussi de Magnin, ouvrier mécanicien, de Bernard, comptable, de Gazé, président du Cercle d'études sociales et professionnelles des cuisiniers de Paris. « Pour la seconde fois, disent les auteurs, le conseil municipal de Paris va être appelé à voter sur une des questions les plus graves qui puissent être soumises à ses délibérations [ils ne minimisaient pas le sujet!], celle de l'établissement d'une nécropole définitive pour la capitale à Méry-sur-Oise, hors du département de la Seine, à 7 lieues du centre de la ville. Pour la deuxième fois aussi, les soussignés, appartenant au groupe positiviste, viennent adjurer les représentants des intérêts de la cité de lui conserver ses lieux de sépulture. » Ce sont en effet les milieux positivistes qui ont pris alors la tête de l'opposition. « Le culte des morts, ainsi que l'établissement de la tombe et des lieux de sépulture qui seuls le caractérisent vraiment, faisait partie des institutions mères propres à toute population civilisée; il faut admettre comme un principe politique fondamental que le cimetière, autant au moins que la maison commune, l'école ou le temple, est un des éléments intégrants de l'agrégation des familles et des municipalités, et qu'il ne saurait y avoir par conséquent de cités sans cimetières. »

On disait au XVIIIe siècle : pas de villes avec des cimetières. On dira à la fin du XIXe siècle : pas de cités sans cimetières. Entre les deux attitudes il y a toute la distance de l'horreur des morts conjurée et d'une religion nouvelle inventée dans l'intervalle, la nôtre, telle qu'elle règne dans nos cimetières d'aujourd'hui où elle amène les foules de novembre et les pieux visiteurs en deuil de chaque jour. Le germe de ce sentiment religieux se trouvait sans doute déjà caché au fond de l'horreur qu'inspirait aux hommes du XVIIIe siècle l'attitude médiévale à l'égard des morts. Aussi le voit-on apparaître tout de suite, dès que la crainte des effets physiques de la décomposition a été apaisée, quand elle s'est exprimée, défoulée.

Ceci nous amène à revenir un peu en arrière, aux dernières années du XVIIIe siècle, quand les régimes postrévolutionnaires voulurent remettre de l'ordre dans une société, dans des mœurs qu'ils croyaient ébranlées. C'est ainsi que, en 1799, le ministre de l'Intérieur du Consulat, Lucien Bonaparte, demanda à l'Institut national de France, récemment rétabli, d'ouvrir un concours sur la question des sépultures. L'Institut reçu quarante mémoires, ce qui donne une idée de l'intérêt qu'on accordait au sujet. Les auteurs des mémoires imprimés sont unanimes à constater le triste état des cimetières et des sépultures. Ils l'attribuent aux excès de la Révolution, alors qu'il est, à mon avis, plus ancien et dû à l'indifférence populaire.

Ils se demandent comment on pourra sortir du matérialisme révolutionnaire et rétablir l'usage des funérailles (le mot y est) sans revenir aux superstitions presque aussi redoutables du catholicisme. La solution leur apparaît, selon les termes de l'un des concurrents du concours, dans l'établissement du « culte des tombeaux ». « Si l'on peut s'exprimer ainsi », ajoute-t-il, mais, malgré cette prudence de langage, le mot culte est bien employé dans le sens qui sera celui du positivisme, dans le sens moderne.

Un autre candidat au même concours décrit les champs des morts comme il les souhaite, et on reconnaîtra dans ces images un mélange de notre Père-Lachaise, des cimetières romantiques et même des cimetières américains d'aujourd'hui; j'y ai pensé à Forest Lawn, le fameux cimetière de Los Angeles : « Domaine où l'on ménagera des sentiers, où la mélancolie ira promener ses rêveries. » Ils seront situés dans la nature.

C'est en effet l'autre sens qu'on donne alors à l'établissement des cimetières hors des villes. Leur éloignement ne joue plus seulement en faveur de la ville qu'il débarrasse d'une source de pollution. Il enlève aussi le cimetière à la corruption de la ville, aux vices et aux misères de la ville, pour les rendre à la nature, à l'innocence et à la pureté de la nature.

Aussi ces nouveaux cimetières seront-ils de beaux jardins anglais, promenades des familles et des poètes. « Ils seront, dit notre auteur, ombragés par des cyprès, des peupliers au feuillage tremblant, par des saules pleureurs ..., des ruisseaux murmureront ...; ces lieux deviendront aussi un terrestre

Élysée où l'homme fatigué des jardins de la vie va se reposer à l'abri de toutes les atteintes. » Ce jardin anglais sera également une sorte de panthéon, un musée des illustres : des tombes symboliques, des monuments rappelleront le souvenir des grands hommes, car les sépultures individuelles seront au contraire recouvertes par une verte pelouse presque anonyme comme dans les cimetières modernes américains. « Je voudrais, avait écrit Bernardin de Saint-Pierre, qu'on choisît auprès de Paris un lieu que consacrerait la religion pour y recueillir les cendres des hommes qui auraient bien mérité de la Patrie : au milieu des arbres et de la verdure, il y aurait là des monuments de toute espèce distribués selon les différents mérites : des obélisques, des colonnes, des pyramides, des urnes, des bas-reliefs, des médailles, des statues, des colonnes, des socles. » Le cimetière est l'envers de la cité, le signe de la solidarité des vivants, le haut lieu du patriotisme.

Il est enfin l'endroit où l'on viendra se recueillir et penser aux morts, les prolonger dans le souvenir. « L'époux se livrera sans crainte à tout le charme de sa douleur et pourra visiter [notons bien l'usage du mot visiter] l'ombre d'une épouse adorée. Le père, qu'un regret juste et durable rappellera aux lieux où reposeront les cendres de son fils, sera libre de répandre des larmes sur sa tombe. Ceux enfin que des souvenirs chers attacheront à la mémoire de leurs bienfaiteurs trouveront un lieu de paix dans cet asile consacré au recueillement et à la reconnaissance. » Le thème de la visite se retrouve désormais un peu partout :

Toi, viens me voir dans mon asile sombre,

demande Delille à sa femme dans un poème écrit en guise d'épitaphe,

Pour me charmer dans mon triste séjour,
Tu viendras visiter au déclin d'un beau jour
Mon poétique mausolée.

Quel geste doit nous paraître plus banal que la visite au cimetière, au tombeau de famille ?

Il nous est aujourd'hui si familier que nous sommes disposés à le rattacher à des coutumes immémoriales. Mais il en est également ainsi du culte dont la visite au cimetière est le rite principal.

Nous sommes communément convaincus — je l'ai été moi-même — que ce culte continue des pratiques très anciennes, qu'il exprime l'une des constantes les plus fixes de la nature humaine. Le but de cette communication est de montrer combien en réalité il est récent.

Résumons-nous. Qu'avons-nous observé? Que les croyances antiques dans la présence et l'intervention des morts n'ont survécu que dans des traditions populaires en voie d'effacement; qu'au Moyen Age les morts furent d'abord confiés, corps et âmes, aux saints et à l'Église; puis que les progrès de la conscience religieuse ont mieux distingué ou plutôt même opposé le corps et l'âme des défunts : l'âme immortelle était l'objet d'une sollicitude dont témoignent les fondations pieuses des testaments, le corps au contraire était abandonné à l'anonymat des charniers.

Le culte moderne des morts a d'autres racines et une autre nature. Sans doute peut-on déjà l'apercevoir chez les familles nobles, riches et célèbres de la fin du Moyen Age, qui consacraient à leurs morts des tombeaux considérables et leur affectaient souvent les chapelles latérales des églises. Ce sont bien là les premières concessions perpétuelles, les premiers caveaux de famille. Encore ces monuments étaient-ils relativement peu nombreux, et le souci de la renommée y tenait plus de place que la fidélité du souvenir. Le culte moderne des morts est un culte du souvenir attaché au corps, à l'apparence corporelle. Nous avons vu comment il a surgi au XVIIIe siècle, comment il s'est étendu au XIXe siècle. Sa simplicité sans dogme ni révélation, sans surnaturel et presque sans mystère, fait penser au culte chinois des ancêtres. Assimilé aussi bien par les églises chrétiennes que par les matérialismes athées, le culte des morts est devenu aujourd'hui la seule manifestation religieuse commune aux incroyants et aux croyants de toutes les confessions. Il est né dans le monde des Lumières, il s'est développé dans le monde des techniques industrielles, peu favorables à l'expression religieuse, et pourtant il a été si bien naturalisé qu'on a oublié ses origines récentes. Sans doute est-ce parce qu'il correspondait justement à la situation de l'homme moderne et en particulier à la place prise dans sa sensibilité par la famille et la société nationale *.

* Cet article a été publié dans la *Revue des travaux de l'Académie des sciences morales et politiques*, vol. CIX, 1966, p. 25-34.

7

La vie et la mort chez les Français d'aujourd'hui

Devant la mort et les morts, les Français d'aujourd'hui adoptent une attitude ambiguë où l'historien reconnaît à la fois des caractères hérités du XIXe siècle et d'autres importés depuis peu des grandes aires de culture postindustrielle. Essayons d'abord de les définir.

Pendant les années cinquante, un jeune professeur américain, Laurence Wylie, venait en France pour le temps de son congé sabbatique. Il s'installait dans un petit village de Haute-Provence où, au début, il tenta de ne pas trop dépayser ses jeunes enfants; il ne voulut pas les frustrer des joies de Halloween, sorte de mascarade des petits Américains, analogue à notre mardi gras, et, à la fin d'octobre, il prépara les masques traditionnels. Mais ne voilà-t-il pas que, le matin de la fête, il découvrit avec stupeur que le village était envahi d'étrangers vêtus de noir.

Les résidents, aussi endimanchés, étaient tous sortis pour les accueillir, et les groupes se rendaient gravement au cimetière. Renseignements pris, Laurence Wylie apprit que le jour de Halloween avait été choisi par cette population insolite pour célébrer la mémoire de ses morts. Comment alors répandre dans les rues parcourues de personnes solennelles la joie scandaleuse des petits Américains? On se résigna à fêter Halloween dans le secret de l'arrière-cuisine.

L'anecdote est instructive. Elle nous montre à la fois que le jour des morts est une fête en France, et qu'il est ignoré dans d'autres grands domaines de la civilisation occidentale.

Certes, le jour des morts n'est pas limité à la France. Il est célébré avec encore plus de fastes à Rome, à Naples. On est tenté de le mettre en relation avec le catholicisme romain et d'y voir la laïcisation d'une fête religieuse. En réalité, les prières d'intercession pour les âmes du Purgatoire qui, du XVe au XVIIIe siècle, se situaient traditionnellement le jour et le lendemain de la Toussaint, n'avaient pas alors le caractère de grande célébration unanime qui les caractérise aujourd'hui et qui date seulement du XIXe siècle, celui d'une véritable migration qui porte vers les cimetières des foules venues souvent de loin.

La grande différence entre la Toussaint avant le XIXe siècle et après est que la première n'impliquait pas la présence physique du tombeau, alors que la seconde l'exige. Entre les deux Toussaint, un phénomène important est donc intervenu : le culte du tombeau, lié à la mémoire des défunts. N'essayons donc pas de reconnaître dans cette cérémonie funéraire une tradition ininterrompue du paganisme. C'est un fait nouveau de religion, qui apparaît à la fin du XVIIIe siècle et se répand partout au XIXe, que le catholicisme ou l'orthodoxie ont adopté, mais qui leur était étranger.

Le jour des morts n'est qu'une des expressions propres aux pays catholiques d'un culte des tombeaux beaucoup plus répandu.

Aux États-Unis, à l'époque des grands déplacements de population, on transportait dans ses bagages l'image funéraire qu'on fixerait dans la nouvelle maison, et qui évoquait de manière symbolique la tombe du défunt bien-aimé, telle qu'on l'avait laissée au cimetière de l'église, ou, mieux encore, dans son jardin : il en reste encore dans les États de l'Est, de ces cimetières dépouillés datant du XVIIIe siècle, et qui devaient ressembler à des cimetières français contemporains ou encore aux cimetières protestants des Charentes ou du Midi... et catholiques de Corse. Il n'empêche que le culte des morts a pris dans nos pays catholiques d'Europe au XIXe siècle un caractère particulier — et qui n'a rien de proprement catholique ni chrétien.

Je ne sais si Laurence Wylie, revenu dans son village provençal à la Toussaint de 1971, y verrait autant de monde qu'à son premier voyage. Il est certain que le culte des tombeaux a diminué : les administrations qui ont toujours, dès le milieu du XIXe siècle au moins, lutté tant qu'elles pouvaient contre l'encombrement des morts, profitent d'une indifférence nouvelle pour récupérer les tombes abandonnées.

Au cimetière de Nice, les vieilles tombes — véritable musée — sont menacées par les petits écriteaux, prévus par l'enquête publique, qui annoncent leur prochaine destruction! Il y a cinquante ans, on n'aurait pas osé, on aurait craint les réactions de l'opinion. La sensibilité à l'égard des cimetières et des morts s'est émoussée, principalement dans les milieux intellectuels, qui constituent aujourd'hui une sorte de classe puissante. En régression ici, la religion des morts demeure encore, surtout dans les milieux populaires, dans les classes moyennes pas trop intellectualisées. On dépense encore de l'argent pour les caveaux et les monuments funéraires. Les visites sont toujours fréquentes, les tombes toujours fleuries.

Le culte des morts ne suit plus aujourd'hui l'allure de paroxysme qu'il soutenait au XIXe et au début du XXe siècle, jusqu'après la guerre de 1914. Il s'est stabilisé, refroidi, assagi. Il est encore bien enraciné, et, pour la plupart des Français, il est la seule forme connue de religion — une religion que le catholicisme du XIXe siècle avait assimilée, mais que celui de Vatican II refuse — et ce refus est d'ailleurs un signe des temps, car les Églises savent si bien deviner les pentes de leur époque qu'elles servent à l'historien d'indicateur.

Il y a une quinzaine d'années, une analyse des attitudes devant la mort s'en tiendrait à ces quelques considérations. On ne peut plus aujourd'hui s'arrêter là. J'ai fait moi-même l'expérience du changement.

En 1964, je perdais ma mère. Quand je revins l'été au petit village où nous étions connus depuis longtemps, je fus accueilli par les traditionnelles expressions de condoléances : « Ah! la pauvre dame! Comme vous devez avoir de la peine! Est-ce qu'elle a souffert, etc. »

En 1971, je perdais mon père. Les mêmes excellentes personnes, exactement les mêmes qui sept ans auparavant s'apitoyaient sur le sort de la pauvre dame — ni des jeunes étourdis ni des progressistes avides de modernité, des septuagénaires plutôt nostalgiques —, ou me fuyaient, ou abrégeaient la conversation, afin d'éviter les condoléances où elles se complaisaient jadis. Mon père n'avait plus droit à l'éloge et à la plainte rituels, pas même à l'épithète de « pauvre » que la tendresse du XIXe siècle romantique avait vouée aux morts. Il avait disparu complètement, et ce qu'il en émergeait encore, dans la présence de ses enfants, gênait. Dans l'intervalle de sept ans, ce petit groupe de septuagénaires, qu'on aurait cru à l'écart des grands courants modernes de sensibilité, avait été atteint et conquis par une très nouvelle manière de se comporter devant la mort.

Cette nouvelle manière, on ne s'attendait pas à la trouver déjà là, mais on la connaissait bien, on l'avait étudiée aux États-Unis, en Angleterre, en Hollande, dans les pays scandinaves, bref dans toutes les sociétés qui avaient dépassé l'étape de l'industrialisation, où les techniques du secteur tertiaire avaient atteint leur plein développement. On ne l'analysera pas ici en détail. On rappellera seulement ses grands traits.

En France, au moins jusqu'aux années trente, la mort était une grande cérémonie quasi publique, que le mort présidait. Il était prévenu. Il savait que la mort était prochaine. Il avait mis ses affaires en ordre, rédigé ses dernières volontés, distribué ses biens, afin d'éviter les querelles d'héritiers. Il « gisait au lit, malade », comme disent les testaments du XVIIe siècle. La famille, les amis étaient réunis dans la chambre, autour du lit, pour l'adieu. Le prêtre apportait le *Corpus Christi* et de plus en plus souvent l'extrême-onction, suivi parfois par de pieux étrangers qui l'avaient rencontré dans la rue.

C'était l'habitude d'entourer les mourants et — l'expression était banale mais elle est devenue désuète — de les « assister pendant leur agonie ». On suivait en effet tous les épisodes d'une agonie, souvent très douloureuse, mais jamais très longue.

Après la fin, un avis placardé à la porte, ou bien la rumeur des voisins invitaient toutes les relations du mort à venir le voir. Ces visites étaient aussi destinées à consoler les survivants. Mais c'était d'abord le mort qu'on honorait une dernière fois, en l'aspergeant d'eau bénite, en le regardant, avant qu'il disparaisse.

Avant la mort, c'est le mourant qui préside et qui commande. Après la mort, c'est le mort qu'on visite et qu'on honore.

Deux grands changements sont ensuite intervenus. D'abord le mourant a été privé de ses droits. Il a été en tutelle comme un enfant mineur ou comme s'il avait perdu la raison. Il n'a plus le droit de savoir qu'il va mourir. Jusqu'au bout son entourage lui cache la vérité et dispose de lui — pour son plus grand bien. Tout se passe comme si personne ne sait que quelqu'un va mourir, ni la famille la plus proche ni le médecin... ni même le prêtre, quand un subterfuge a permis qu'il vienne sans trop de mal.

Il arrive enfin un moment où on n'a plus besoin de jouer la comédie, où le mourant a vraiment perdu sa connaissance, sa conscience, en gardant encore le souffle. Et la famille, épuisée de fatigue, assiste pendant des jours, parfois des semaines, à ce qui autrefois durait — mais de manière plus dramatique et douloureuse — quelques heures, au chevet d'une pauvre chose hérissée de tubes, dans la bouche, dans le nez, au poignet... Et l'attente dure, dure, et, un beau jour ou une belle nuit, la vie s'arrête quand on n'y prend plus garde, quand il n'y a plus personne à côté.

Peu à peu l'intérêt ou la pitié — quand ils ont subsisté — se sont déplacés du mourant vers la famille et les survivants. Les modifications récentes du rituel catholique des funérailles, et surtout les commentaires qu'on en fait, soulignent bien ce transfert. Dans l'ancienne liturgie, dit-on, on honorait les morts; dans la nouvelle, on s'adresse plutôt aux survivants pour les édifier et les consoler.

Encore admet-on dans ce cas que les survivants ont droit à une consolation. Ce droit, la société tend désormais à le leur refuser : c'est le second grand changement intervenu dans les attitudes devant la mort. Il est honteux aujourd'hui de parler de la mort et de ses déchirements, comme il était autrefois honteux de parler du sexe et de ses plaisirs. Quand quelqu'un se détourne de vous parce que vous êtes en deuil, ou s'arrange pour éviter la moindre allusion à la perte que vous venez de faire, ou pour réduire d'inévitables condoléances à quelques mots hâtifs, ce n'est pas qu'il manque de cœur, qu'il ne soit pas ému, c'est au contraire parce qu'il est ému, et plus il est ému, plus il cachera son sentiment et paraîtra froid et indifférent.

La bienséance interdit désormais toute référence à la mort. C'est morbide, on parle comme si elle n'existait pas. Il y a seulement des gens qui disparaissent et dont on ne parle plus — et dont on parlera peut-être plus tard, quand on aura oublié qu'ils sont morts.

Entre les deux attitudes que nous venons de définir à grands traits, entre le culte des tombeaux et l'évacuation de la mort hors de la vie quotidienne, il paraît bien qu'il y a contradiction et incompatibilité. Aussi, dans certains pays et dans certains milieux, l'une des attirances chasse l'autre. En Angleterre et là où l'interdit de la mort est accepté sans réserve, l'incinération est très répandue, non pas tant pour des raisons d'hygiène, ni de philosophie, ni d'incroyance, mais simplement parce qu'on croit qu'elle détruit plus complètement, qu'on est alors moins attaché au résidu et qu'on est moins tenté de le visiter.

En France, les deux attitudes coexistent actuellement. L'une tend à s'affaiblir et l'autre gagne du terrain. On a le droit de penser que celle-ci va remplacer celle-là, que le culte des tombeaux est condamné à disparaître et que les Français se débarrasseront de leurs morts avec la discrétion de leurs voisins de l'Europe du Nord-Ouest. Rien n'est moins sûr. Nous assistons déjà, aux États-Unis, à des essais de rupture de l'interdit jeté sur la mort. On peut se demander si les deux attitudes qui nous paraissent contradictoires ne vont pas tout bonnement coexister de la manière la plus irrationnelle, comme cela arrive si souvent au pays qui se réclame de Descartes. La même personne qui aura honte de parler de la mort ou d'un mort trop frais ira sans complexe au cimetière fleurir la tombe de ses parents, prendra ses dispositions pour s'assurer d'un caveau solide, étanche, où ses héritiers fixeront son portrait émaillé et indélébile *.

* Cet article a été publié dans *Ethno-psychologie*, mars 1972 (27e année), p. 39-44.

8

La mort inversée
Le changement des attitudes devant la mort dans les sociétés occidentales

Cette étude pourrait s'appeler : la crise contemporaine de la mort, si ce titre n'avait déjà été donné par Edgar Morin à l'un des chapitres de son livre, *l'Homme et la Mort devant l'histoire* [1]. Ce sont bien les mêmes mots, et la même chose aussi : « affrontement panique dans un climat d'angoisse, de névrose, de nihilisme », qui prend « figure de véritable crise de l'individualité devant la mort » et, sans doute, nous le verrons *in fine*, de l'individualité tout court.

Edgar Morin s'était volontairement tenu dans les limites de « la mort livresque » : « la littérature, la poésie, la philosophie, c'est-à-dire [...] le secteur de la civilisation non spécialisé, ou plutôt spécialisé dans le général ». La matière était ici bien apparente; la littérature, la philosophie n'ont jamais cessé tout à fait de parler *de morte et mortuis*, et il leur est arrivé d'être très bavardes. On sait aujourd'hui comment le discours sur la mort se brouille et devient une forme entre d'autres d'une angoisse diffuse.

Depuis la parution du livre d'Edgar Morin en 1951, une nouvelle littérature est apparue, non plus générale, mais spécialisée, une histoire et une sociologie de la mort, et non plus du discours sur la mort. Il y avait bien eu jadis quelques

1. E. Morin, *L'Homme et la Mort devant l'histoire*, Paris, Corréa, 1951; Paris, Éd. du Seuil, 1970 (réédition).

pages d'Émile Mâle et d'historiens de l'art sur l'iconographie de la mort, le fameux livre de Huizinga sur l'automne du Moyen Age [1], l'essai de Roger Caillois sur les attitudes américaines devant la mort [2]. Il n'existait encore vraiment ni d'histoire ni de sociologie de la mort.

Il est surprenant que les sciences de l'homme, si loquaces quand il s'agissait de la famille, du travail, de la politique, des loisirs, de la religion, de la sexualité, aient été si discrètes sur la mort. Les savants se sont tus comme les hommes qu'ils étaient et comme les hommes qu'ils étudiaient. Leur silence n'est qu'une partie de ce grand silence qui s'est établi dans les mœurs au cours du XXe siècle. Si la littérature a continué son discours sur la mort, par exemple avec la mort sale de Sartre ou de Genet, les hommes quelconques sont devenus muets, ils se comportent comme si la mort n'existait plus. Le décalage entre la mort livresque qui reste bavarde et la mort réelle, honteuse et taisible, est d'ailleurs l'un des caractères étranges mais significatifs de notre temps. Le silence des mœurs est le sujet principal de cet article. On conçoit que, comme le plus souvent le silence, il soit demeuré inaperçu et donc ignoré. Depuis quelques années cependant, voici qu'il fait question.

Une histoire de la mort a commencé avec les deux livres déjà cités d'Alberto Tenenti, l'un paru en 1952, un an après l'essai d'Edgar Morin, *la Vie et la Mort à travers l'art du* XVe *siècle*, l'autre paru en 1957, *Il Senso della morte e l'amore delle vita nel Rinascimento.*

Une sociologie de la mort a commencé avec l'article, où presque tout est déjà dit, de Geoffrey Gorer, « The Pornography of Death », en 1955 [3]. Vient ensuite le recueil d'études interdisciplinaires (anthropologie, art, littérature, médecine, philosophie, psychiatrie, religion...) publiées par H. Feifel sous le titre *The Meaning of Death.* Elles avaient été présentées

1. J. Huizinga, *op. cit.*
2. R. Caillois, *Quatre Essais de sociologie contemporaine*, Paris, Perrin, 1951.
3. Voir *supra*, p. 71.

à un colloque organisé en 1956 par l'*American Psychological Association*, et la seule idée d'un colloque sur la mort témoigne d'un intérêt nouveau porté à un sujet jusqu'ici interdit.

Il apparaît bien en effet que les sociologues d'aujourd'hui appliquent à la mort et à la défense d'en parler l'exemple que leur a donné Freud à propos du sexe et de ses interdits. Aussi est-ce par un détour chez les hommes de science que le tabou actuel de la mort est menacé. La littérature, elle, demeure conservatrice et continue les thèmes anciens, même quand c'est sous la forme de leurs contraires.

En revanche, la sociologie, la psychologie fournissent les premiers signes de la redécouverte de la mort par l'homme contemporain. La grande presse, les magazines hebdomadaires à grand tirage, loin d'étouffer ces ouvrages savants, les ont largement diffusés. Une littérature d'opinion a suivi, qui a connu le succès avec le livre de Jessica Mitford, *The American Way of Death* [1]. Et aujourd'hui il n'est presque pas de mois où la presse française, anglaise ou américaine ne signale un livre curieux, ou quelque étrangeté observée, sur la mort. La mort redevient sous nos yeux ce qu'elle avait cessé d'être depuis la fin extrême du romantisme, un sujet inépuisable d'anecdotes. Cela laisse entendre que le public des lecteurs de journaux commence à s'intéresser à la mort, d'abord peut-être comme à une chose défendue et quelque peu obscène.

La nouvelle sociologie de la mort n'est donc pas seulement le début d'une bibliographie scientifique sur la mort, mais sans doute une date dans l'histoire des attitudes devant la mort. Elle est pourtant peu sensible à l'histoire. Edgar Morin avait été amené à situer dans l'histoire la mort des philosophes, parce que ses documents philosophiques et littéraires faisaient déjà partie de l'histoire, depuis longtemps de l'histoire des idées, depuis quelques décennies seulement de l'histoire sociale. Au contraire, les attitudes communes devant la mort, telles que les découvrent chez les hommes d'aujourd'hui sociologues, psychologues, médecins, paraissent si inédites, si ahurissantes, qu'il n'a pas encore été possible aux observateurs de les

1. J. Mitford, *op. cit.*

détacher de leur modernité et de les restituer dans une continuité historique. C'est pourtant ce qu'on va essayer de faire ici, autour de trois thèmes : la dépossession du mourant, le refus du deuil, l'invention d'un nouveau rituel funéraire aux États-Unis.

1. Comment le mourant est privé de sa mort

L'homme a été, pendant des millénaires, le maître souverain de sa mort et des circonstances de sa mort. Il a aujourd'hui cessé de l'être, et voici comment.

D'abord, il était entendu, comme une chose normale, que l'homme savait qu'il allait mourir, soit qu'il s'en aperçût spontanément, soit qu'il eût fallu l'avertir. Pour nos anciens conteurs il était naturel que l'homme sente sa mort prochaine, comme dit à peu près le laboureur de La Fontaine. La mort était alors rarement subite, même en cas d'accident ou de guerre, et la mort subite était très redoutée, non seulement parce qu'elle ne permettait pas le repentir, mais parce qu'elle privait l'homme de sa mort. La mort était donc presque toujours annoncée — en un temps où les maladies un peu graves étaient presque toujours mortelles. Il fallait être fol pour ne pas en voir les signes, et moralistes ou satiriques se chargeaient de ridiculiser les extravagants qui refusaient l'évidence. Roland « sent que la mort le prend tout », Tristan « sentit que sa vie se perdait, il comprit qu'il allait mourir ». Le paysan de Tolstoï répond à la bonne femme qui lui demande si ça va : « La mort est là. » Car les paysans de Tolstoï meurent comme Tristan ou comme les laboureurs de La Fontaine, ils prennent la même attitude familière et résignée — ce qui ne veut pas dire que l'attitude devant la mort a été la même pendant toute cette longue période, mais qu'elle a survécu dans certaines classes sociales d'un âge à l'autre, malgré la concurrence d'autres genres de mort.

Quand le principal intéressé ne s'apercevait pas le premier de son sort, il revenait à d'autres de l'avertir. Un document pontifical du Moyen Age en faisait un devoir au médecin. Et celui-ci s'en est acquitté longtemps, et tout bonnement. Nous le retrouvons au chevet de Don Quichotte : « Il ne fut pas fort content du pouls qu'il lui trouva. Aussi lui dit-il que, quoi qu'il en fît, il pensât au salut de son âme, parce que la santé du corps connaît un grand péril. » Les *artes moriendi* du XVe siècle chargeaient aussi de ce soin l'ami « spirituel » (opposé aux amis « charnels »), appelé du nom, terrible à notre délicatesse moderne, de *nuncius mortis*.

Plus on avance dans le temps et plus on monte dans l'échelle sociale et urbaine, moins l'homme sent de lui-même sa mort prochaine, plus il faut l'y préparer et, par conséquent, plus il dépend de son entourage. Le médecin a renoncé au rôle qui fut longtemps le sien, sans doute au XVIIIe siècle. Au XIXe siècle, il ne parle que si on l'interroge, et avec déjà quelque réserve. Les amis n'ont plus à intervenir, comme au temps de Gerson ou encore de Cervantès. Depuis le XVIIe siècle, c'est la famille qui prend ce soin : signe des progrès du sentiment familial. Voici un exemple. Nous sommes en 1848, dans la famille La Ferronays. Mme de la Ferronays tombe malade. Le médecin déclare son état dangereux et « une heure après [*sic*], désespéré ». C'est sa fille qui écrit : « Lorsqu'elle sortait du bain, [...] elle me dit tout d'un coup, tandis que je pensais à la manière de bien dire ce que pensait le médecin : ' Mais je n'y vois plus du tout, je crois que je vais mourir '. » Elle récite aussitôt une oraison jaculatoire. « Oh Jésus!, remarque alors sa fille, quelle singulière joie me causent en ce terrible moment ces calmes paroles. » Elle était soulagée parce que la peine d'une révélation pourtant indispensable lui était épargnée. Le soulagement est un trait moderne, la nécessité de la révélation est un trait ancien.

Le mourant ne devait pas être privé de sa mort. Il fallait aussi qu'il la présidât. Comme on naissait en public, on mourait en public, et pas seulement le roi, comme c'est bien connu d'après les pages célèbres de Saint-Simon sur la mort de Louis XIV, mais n'importe qui. Que de gravures et de peintures nous représentent la scène! Dès que quelqu'un « gisait au lit, malade », sa chambre se remplissait de monde, parents, enfants, amis, voisins, membres des confréries. Les fenêtres, les volets étaient fermés. On allumait les cierges. Quand, dans la rue, les passants rencontraient le prêtre qui portait le viatique, l'usage et la dévotion voulaient qu'ils le suivissent dans la chambre du mourant, même s'il leur était inconnu. L'approche de la mort transformait la chambre du moribond en une sorte de lieu public. On comprend alors le mot de Pascal : « On mourra seul », qui a perdu pour nos contemporains beaucoup de sa force, parce qu'aujourd'hui on meurt presque toujours seul. Pascal voulait dire que, malgré la foule qui se presse autour de son lit, le mourant était seul. Les médecins éclairés de la fin du XVIIIe siècle, qui croyaient aux vertus de l'air, se plaignaient beaucoup de cette mauvaise habitude d'envahir les chambres des malades. Ils essayaient d'obtenir qu'on ouvrît les fenêtres, qu'on éteignît les cierges, qu'on fît sortir tout ce monde.

Ne croyons pas que l'assistance aux derniers moments était une pieuse coutume imposée par l'Église. Les prêtres éclairés ou réformés avaient essayé, bien avant les médecins, de mettre de l'ordre dans cette cohue afin de mieux préparer le malade à une fin édifiante. Dès les *artes moriendi* du XVe siècle, il était recommandé de laisser le mourant seul avec Dieu pour qu'il ne fût pas distrait du soin de son âme. Encore au XIXe siècle, il arrivait que des personnes très pieuses, après s'être pliées aux usages, demandassent aux nombreux assistants de quitter la chambre, à l'exception du prêtre, afin que rien ne vienne troubler leur tête-à-tête avec Dieu. Mais il s'agissait là de dévotions exemplaires et rares. La coutume voulait que la mort fût le lieu d'une cérémonie rituelle où le prêtre avait sa place, mais parmi les autres participants. Le premier rôle revenait au mourant lui-même. Il présidait et il ne trébuchait guère, car il savait comment se tenir, tant il avait été de fois témoin de scènes semblables. Il appelait un à un ses parents, ses familiers, ses domestiques « jusqu'aux plus bas », dit Saint-Simon en décrivant la mort de Mme de Montespan. Il leur disait adieu, leur demandait pardon, leur donnait sa bénédiction. Investi d'une autorité souveraine, surtout aux XVIIIe et XIXe siècles, par l'approche de la mort, il donnait des ordres, faisait des recommandations, même quand le moribond était une très jeune fille, presque une enfant.

Aujourd'hui, il ne reste plus rien ni de la notion que chacun a ou doit avoir que sa fin est proche, ni du caractère de solennité publique qu'avait le moment de la mort. Ce qui devait être connu est désormais caché. Ce qui devait être solennel est escamoté.

Il est entendu que le premier devoir de la famille et du médecin est de dissimuler à un malade condamné la gravité de son état. Le malade ne doit plus jamais savoir (sauf cas exceptionnels) que sa fin approche. L'usage nouveau exige qu'il meure dans l'ignorance de sa mort. Ce n'est plus seulement une habitude introduite naïvement dans les mœurs. C'est devenu une règle morale. Jankélévitch l'affirmait sans ambages, dans un récent colloque de médecins sur le thème « Faut-il mentir au malade? » Le menteur, déclarait-il, « est celui qui dit la vérité [...]. Je suis contre la vérité, passionnément contre la vérité [...]. Pour moi il y a une loi plus importante que toutes, c'est celle de l'amour et de la charité [1] ». On y aurait alors manqué jusqu'au XXe siècle, tant que la morale obligea d'informer le malade? On mesure à cette opposition l'extraordinaire renversement des sentiments et, ensuite, des idées! Comment s'est-il produit? On aurait trop vite fait de dire que, dans une société du bonheur et du bien-être, il n'y avait plus de place pour la souffrance, la tristesse et la mort. C'est prendre le résultat pour la raison.

Il est remarquable que cette évolution est liée aux progrès du sentiment familial, et au quasi-monopole affectif de la famille dans notre monde. Il faut en effet chercher la cause du changement dans les relations entre le malade et sa famille. La famille n'a plus toléré le coup qu'elle portait à un être aimé et qu'elle se portait aussi à elle-même en rendant la

1. V. Jankélévitch, *Médecine de France*, n° 177, 1966, p. 3-16; voir aussi du même auteur : *la Mort*, Paris, Flammarion, 1966.

mort plus présente, plus certaine, en interdisant toute simulation et toute illusion. Combien de fois n'avons-nous pas entendu dire d'un époux, d'un parent : « J'ai du moins la satisfaction qu'il (ou elle) ne s'est jamais senti mourir »? *Le* ne pas se sentir mourir *a remplacé dans notre langage commun le* sentant sa mort prochaine *du* XVIIe *siècle.*

En réalité il devait arriver souvent, mais les morts ne font plus de confidences, que le malade savait bien à quoi s'en tenir, et faisait semblant de ne pas savoir, par pitié pour l'entourage. Car, si la famille a vite répugné à jouer le *nuncius mortis* qui, au Moyen Age et au début des temps modernes, n'était pas choisi dans ses rangs, le principal intéressé a aussi, de son côté, abdiqué. Par peur de la mort? Mais celle-ci avait toujours existé. Seulement on en riait : « Que vous êtes pressante, ô déesse cruelle! »; et la société avait imposé au mourant terrifié de jouer quand même la grande scène des adieux et du départ. On dit cette vieille peur ancestrale, mais son refoulement est tout aussi ancestral! La peur de la mort n'explique pas le renoncement du mourant à sa propre mort. C'est encore dans l'histoire de la famille qu'il faut chercher l'explication.

L'homme du second Moyen Age et de la Renaissance (par opposition à l'homme du premier Moyen Age, de Roland, qui se survit chez les paysans de Tolstoï) tenait à participer à sa propre mort, parce qu'il voyait dans cette mort un moment exceptionnel où son individualité recevait sa forme définitive. Il n'était le maître de sa vie que dans la mesure où il était le maître de sa mort. Sa mort lui appartenait et à lui seul. Or, à partir du XVIIe siècle, il a cessé d'exercer seul sa souveraineté sur sa propre vie et, par conséquent, sur sa mort. Il l'a partagée avec sa famille. Auparavant, sa famille était écartée des décisions graves qu'il devait prendre en vue de la mort, et qu'il prenait seul.

C'est le cas des testaments. Du XIVe siècle au début du XVIIIe siècle, le testament a été pour chacun un moyen spontané de s'exprimer, et c'était en même temps une marque de défiance — ou d'absence de confiance — à l'égard de sa famille. Aussi le testament a-t-il perdu son caractère de nécessité morale et de témoignage personnel et chaleureux quand, au XVIIIe siècle, l'affection familiale a triomphé de la méfiance traditionnelle du testateur envers ses héritiers. Cette méfiance a été, au contraire, remplacée par une confiance absolue qui n'a plus besoin de textes écrits. Les dernières volontés orales sont devenues, bien tard, sacrées pour les survivants qui s'estiment désormais engagés à les respecter à la lettre. De son côté, le mourant est convaincu qu'il peut se reposer sans inquiétude sur la parole de ses proches. Cette confiance, née aux XVIIe et XVIIIe siècles, développée au XIVe siècle, est devenue au XXe siècle une véritable aliénation. A partir du moment où un risque grave menace un membre de la famille, celle-ci conspire aussitôt à le priver de son information et de sa liberté. Le malade devient alors un mineur, comme un enfant ou un débile mental, que l'époux ou les parents prennent en charge, séparent du monde. On sait mieux que lui ce qu'il doit faire et savoir. Il est privé de ses droits et en particulier du droit jadis essentiel de connaître sa mort, de la préparer, de l'organiser. Et il se laisse faire parce qu'il est convaincu que c'est pour son bien. Il s'en remet à l'affection des siens. Si, malgré tout, il a deviné, il fera semblant de ne pas savoir. La mort d'autrefois était une tragédie — souvent comique — où on jouait à celui qui va mourir. La mort d'aujourd'hui est une comédie — toujours dramatique — où on joue à celui qui ne sait pas qu'il va mourir.

La pression du sentiment familial n'eût sans doute pas suffi à escamoter si vite et si bien la mort sans les progrès de la médecine. Non pas tant à cause des conquêtes réelles de la médecine que parce qu'elle a remplacé, dans la conscience de l'homme atteint, la mort par la maladie. Cette substitution apparaît dans la seconde moitié du XIXe siècle.

Il est d'ailleurs certain que, avec les progrès de la thérapeutique, de la chirurgie, on sait positivement de moins en moins si la maladie grave est mortelle; les chances d'en réchapper ont tant augmenté! Même diminué, on peut toujours vivre. Aussi, dans notre monde où l'on fait comme si la médecine avait réponse à tous les cas, où, si Caïus doit bien mourir un jour, on n'a aucune raison, soi, de mourir, la maladie incurable, en particulier le cancer, a pris les traits hideux et effrayants des anciennes représentations de la mort. Mieux que le squelette ou la momie des macabres des XIVe et XVe siècles, plus que le ladre aux claquettes, le cancer est aujourd'hui la mort. Mais il faut que la maladie soit incurable (ou réputée incurable) pour qu'elle laisse ainsi transparaître la mort et lui donne son nom. L'angoisse qu'elle libère alors contraint la société à multiplier hâtivement les consignes habituelles de silence, afin de ramener ce cas trop dramatique à la règle banale des sorties à l'anglaise.

On meurt donc presque en cachette, plus seul que Pascal n'en a jamais eu l'idée. Cette clandestinité est l'effet d'un refus d'admettre tout à fait la mort de ceux qu'on aime, et encore de l'effacement de la mort sous la maladie obstinée à guérir. Elle a aussi un autre aspect que des sociologues américains ont réussi à déchiffrer. Là où nous sommes tentés de ne voir qu'escamotage, ils nous montrent la création empirique d'un style de mort où la discrétion apparaît comme la forme moderne de la dignité. Avec moins de poésie, c'est la mort de Mélisande, telle que l'approuve Jankélévitch.

Glaser et Strauss [1] ont étudié dans six hôpitaux de la baie de San Francisco comment réagissait devant la mort le groupe interdépendant du malade, de la famille et du personnel médical (médecins et infirmiers). Qu'arrive-t-il quand on sait que le malade est proche de la fin? Faut-il avertir la famille, le malade lui-même, et quand? Combien de temps prolongera-t-on une vie maintenue par des artifices et à quel moment permettra-t-on au mourant de mourir? Comment le personnel médical se comporte-t-il en face du malade qui ne sait pas, ou qui fait semblant de ne pas savoir, ou qui sait qu'il va mourir? Ces problèmes se posent sans doute à chaque famille moderne, mais, dans l'espace hospitalier,

1. B. G. Glaser et A. L. Strauss, *op. cit.*

un pouvoir nouveau intervient, le pouvoir médical. Or, on meurt de moins en moins à la maison, de plus en plus à l'hôpital. L'hôpital est devenu le lieu de la mort moderne, d'où l'importance des observations de Glaser et Strauss. Mais l'intérêt de leur livre dépasse les analyses des attitudes empiriques des uns et des autres. Les auteurs découvrent un idéal de la mort qui s'est substitué aux pompes théâtrales de l'époque romantique et, d'une manière plus générale, à la publicité traditionnelle de la mort. Un modèle nouveau de la mort, qu'ils expriment presque naïvement, en lui comparant leurs observations concrètes. Nous voyons ainsi se former un *style of dying*, ou plutôt un *acceptable style of living while dying*, un *acceptable style of facing death*. L'accent est mis sur « *acceptable* ». Il importe en effet que la mort soit telle qu'elle puisse être acceptée ou tolérée par les survivants.

Si les médecins et les infirmières (celles-ci avec plus de réticences) retardent le plus longtemps possible le moment d'avertir la famille, s'ils répugnent à avertir jamais le malade lui-même, c'est par crainte d'être engagés dans une chaîne de réactions sentimentales qui leur feraient perdre, à eux autant qu'au malade ou à la famille, le contrôle de soi. Oser parler de la mort, l'admettre ainsi dans les rapports sociaux, ce n'est plus comme autrefois demeurer dans le quotidien, c'est provoquer une situation exceptionnelle, exorbitante, et toujours dramatique. La mort était autrefois une figure familière, et les moralistes devaient la rendre hideuse pour faire peur. Aujourd'hui il suffit de seulement la nommer pour provoquer une tension émotive incompatible avec la régularité de la vie quotidienne. Un *acceptable style of dying* est donc celui qui évite les *status forcing scenes*, les scènes qui arrachent le personnage à son rôle social, qui le violent. Ces scènes sont les crises de désespoir des malades, leurs cris, leurs larmes, et en général toutes les manifestations trop exaltées, trop bruyantes, ou encore trop émouvantes, qui risquent de troubler la sérénité de l'hôpital. On reconnaît là, le mot est intraduisible, l'*embarrassingly graceless dying*, le contraire de la mort acceptable, la mort qui met dans l'embarras les survivants! C'est pour l'éviter qu'on choisit de ne rien dire au malade. Mais ce qui importe au fond, c'est moins que le malade sache ou ne sache pas, que, s'il sait, il ait l'élégance et le courage d'être discret. Il se comportera alors de manière que le personnel hospitalier puisse oublier qu'il sait, et communiquer avec lui comme si la mort ne rôdait pas autour d'eux. La communication est en effet tout aussi nécessaire. Il ne suffit pas que le mourant soit discret, il faut encore qu'il demeure ouvert et réceptif aux messages. Son indifférence risque de créer chez le personnel médical le même « embarras » qu'un excès de démonstration. Il y a donc deux manières de mal mourir, l'une consiste à rechercher un échange d'émotions, l'autre est de refuser de communiquer.

Les auteurs citent très sérieusement le cas d'une vieille dame qui s'était d'abord bien conduite, selon l'usage conventionnel : elle collaborait avec les médecins et les infirmières, elle luttait avec courage contre la maladie. Mais un jour elle a estimé qu'elle avait assez lutté, que le moment était venu d'abandonner. Alors elle a fermé les yeux pour ne plus les ouvrir : elle signifiait ainsi qu'elle se retirait du monde et attendait la fin seule avec elle-même. Jadis ce signe de recueillement n'aurait pas surpris et on l'aurait respecté. Dans l'hôpital californien, il a désespéré médecins et infirmières qui ont vite fait venir par avion un fils de la malade, seul capable de la persuader de rouvrir les yeux et de ne plus être *hurting everybody.* Il arrive aussi que des malades se tournent vers le mur et ne bougent plus. On reconnaîtra là, non sans émotion, l'un des gestes les plus anciens de l'homme quand il sentait la mort venir. Ainsi mouraient les juifs de l'Ancien Testament, et, encore au XVIe siècle, l'Inquisition espagnole reconnaissait à ce signe les marranes mal convertis. Ainsi mourut Tristan : « Il se tourna vers la muraille et dit : “ Je ne puis retenir ma vie plus longtemps ”. » Cependant, dans ce geste ancestral, médecins et infirmières d'un hôpital de Californie ne veulent plus voir aujourd'hui que refus antisocial de communication, renoncement coupable à la lutte vitale.

L'abandon du malade, reconnaissons-le, n'est pas blâmé

seulement parce qu'il démoralise le personnel médical, parce qu'il est une faute déontologique, mais aussi parce qu'il est censé diminuer la capacité de résistance du malade lui-même. Il devient alors aussi redoutable que les *status forcing scenes*. C'est pourquoi les médecins américains et anglais en arrivent, aujourd'hui, à dissimuler moins souvent à des malades condamnés la gravité de leur cas. La télévision britannique a présenté cette année au public des cancéreux prévenus très exactement; on doit considérer cette émission comme un encouragement à dire la vérité. Les médecins pensent sans doute qu'un homme averti, s'il est bien équilibré, se prêtera mieux aux traitements dans l'espoir de vivre à plein les derniers jours qui lui restent, et, tout compte fait, mourra aussi discrètement et aussi dignement que s'il n'avait rien su. C'est la mort du bon Américain, telle que l'a décrite Jacques Maritain dans un livre anglais destiné à un public américain. C'est aussi, avec un peu moins de sourire commercial et plus de musicalité, la mort humaniste et digne du philosophe contemporain : disparaître « *pianissimo* et, pour ainsi dire, sur la pointe des pieds » (Jankélévitch).

2. Le refus du deuil

Nous venons de voir comment la société moderne a privé l'homme de sa mort et comment elle ne la lui rend que s'il ne s'en sert plus pour troubler les vivants. Réciproquement, elle interdit aux vivants de paraître émus par la mort des autres, elle ne leur permet ni de pleurer les trépassés, ni de faire semblant de les regretter.

Le « deuil » fut pourtant jusqu'à nos jours la douleur par excellence, dont la manifestation était légitime et nécessaire. Le vieux mot de la douleur : dol ou doel, est resté dans notre langue, mais avec le sens restreint que nous reconnaissons au deuil. Bien avant d'avoir ainsi reçu un nom, la douleur devant la mort d'un proche était l'expression la plus violente de sentiments les plus spontanés. Pendant le Haut Moyen Age, les guerriers les plus durs ou les souverains les plus illustres s'effondraient devant les corps de leurs amis ou parents, nous dirions aujourd'hui comme des femmes, et des femmes hystériques. Ici, le roi Arthur se pâme plusieurs fois de suite, se frappe la poitrine, s'écorche le visage « de façon que le sang coulait à flot ». Là, sur le champ de bataille, le même roi « tomba de cheval tout pâmé » devant le corps de son neveu, « puis, tout pleurant, il se prit à chercher les corps de ses amis charnels », comme Charlemagne à Roncevaux. En découvrant l'un d'entre eux, « il frappa ses paumes l'une contre l'autre, criant qu'il avait assez vécu [...]. Il ôta au mort son heaume et, après l'avoir longtemps regardé, il lui baisa les yeux et la bouche qui était glacée. » Que de spasmes et d'évanouissements! Que d'étreintes passionnées de cadavres déjà froids! Que d'écorchures désespérées, que de vêtements déchirés! Mais, à part quelques rares inconsolables qui faisaient retraite dans les moutiers, une fois passées les grandes gesticulations de la douleur, les survivants reprenaient la vie où ils l'avaient laissée.

A partir du XIIIe siècle, les manifestations du deuil ont perdu de leur spontanéité. Elles se sont ritualisées. Les grandes gesticulations du premier Moyen Age sont désormais simulées par des pleureurs. Nous connaissons les pleureuses des régions méridionales et méditerranéennes qui persistent encore de nos jours. Le Cid du *Romancero* exige dans son testament qu'il n'y ait pas de pleureurs à ses obsèques comme c'était l'usage : ni fleurs ni couronnes. L'iconographie des tombeaux des XIVe et XVe siècles nous montre, autour du corps exposé, le cortège des pleureurs en robe noire, la tête enfoncée sous le capuchon comme sous la cagoule des pénitents.

Plus tard, les testaments du XVIe et du XVIIe siècle nous apprennent que les convois funèbres étaient composés principalement de figurants analogues à des pleureurs : moines mendiants, pauvres, enfants des hôpitaux, qu'on habillait pour la circonstance de robes noires fournies par la succession et qui recevaient après la cérémonie une portion de pain et un peu d'argent.

On peut se demander si les parents les plus proches assistaient aux funérailles. Aux amis, on offrait un banquet — occasion de bombances et d'excès que l'Église s'efforça de supprimer; les testaments en parlent de moins en moins, si ce n'est pour les interdire. On remarque dans les testaments que le testateur réclame parfois avec insistance la présence à son convoi d'un frère ou d'un fils, le plus souvent d'ailleurs il s'agit d'un enfant. Il offrait un legs spécial comme prix de cette présence si recherchée. En serait-il ainsi si la famille suivait toujours le convoi? Sous l'Ancien Régime, l'absence des femmes aux obsèques est incontestable. Il semble bien que, depuis la fin du Moyen Age et la ritualisation du deuil, la société ait imposé à la famille une période de réclusion qui l'éloignait même des obsèques, où elle était remplacée par des prêtres nombreux et par des pleureurs professionnels, religieux, membres des confréries ou simples figurants attirés par les distributions d'aumônes.

Cette réclusion avait deux buts : d'abord, permettre aux survivants vraiment malheureux de mettre leur douleur à l'abri du monde, de leur permettre d'attendre, comme le malade au repos, l'adoucissement de leurs peines. C'est ce qu'évoque H. de Campion dans ses *Mémoires*. En juin 1659, la femme d'Henri de Campion « rendit [...] bientôt l'esprit, en mettant au monde une fille qui mourut cinq ou six jours après elle. J'étais navré et tombai dans un état à faire pitié. Mon frère [...] et ma sœur [...] me menèrent à Conches : j'y restai dix-sept jours, et revins ensuite au Baxferei, pour donner ordre à mes affaires [...] Ne pouvant tenir dans la maison, qui me rappelait sans cesse mes chagrins, j'en avais pris une à Conches où je demeurai jusqu'au 2 de juin 1660 [c'est-à-dire jusqu'au « bout de l'an », jusqu'au premier anniversaire de la mort de sa femme], que, voyant que le regret de mes pertes me suit également, je suis revenu chez moi au Baxferei avec mes enfants, et j'y vis dans une grande tristesse ».

Le second but de la réclusion était d'empêcher les survivants d'oublier trop tôt le disparu, de les exclure, pendant une période de pénitence, des relations sociales et des jouissances de la vie profane. Cette précaution n'était pas inutile pour défendre les pauvres morts de la hâte avec laquelle on les remplaçait. Nicolas Versoris, bourgeois de Paris, perdait sa femme de la peste « le 3e jour de septembre [1522] à une heure après minuit ». L'avant-dernier jour de décembre de la même année, notre veuf était accordé et fiancé à la veuve d'un médecin, qu'il épousa dès qu'il le put, le 13 janvier 1523 « premier jour festoiable après Noël ».

Le XIXe siècle n'apporta aucune atténuation à la rigueur de la réclusion. Dans les maisons où quelqu'un était mort, hommes, femmes, enfants, domestiques, et même chevaux et abeilles étaient séparés du reste de la société par l'écran des crêpes, des voiles, des draps noirs. Mais cette réclusion était moins subie que volontaire et elle n'interdisait plus la participation des proches et de la famille au grand drame des obsèques, aux pèlerinages aux tombes, au culte exalté du souvenir qui caractérisent le romantisme. Ainsi on ne toléra plus que les femmes fussent comme autrefois écartées des services funéraires. Elles y furent d'abord acceptées par la bourgeoisie : la noblesse est restée plus longtemps fidèle a cet usage d'exclusion, et il y fut longtemps de bon ton que la veuve ne fît pas part de la mort de son mari. Cependant, même dans la noblesse, les femmes prirent l'habitude d'assister à l'enterrement de leur époux, de leur fils, de leur père, mais d'abord en cachette dans un coin de l'église ou des tribunes, avec l'approbation ecclésiastique. Les habitudes traditionnelles de réclusion ont dû composer avec les sentiments nouveaux d'exaltation des morts, de vénération de leurs sépultures. La présence de la femme ne changeait d'ailleurs rien à la réclusion du deuil : entièrement voilée de noir, *mater dolorosa*, elle n'apparaissait alors aux yeux du monde que comme le symbole de la douleur et de l'inconsolation. Toutefois la réclusion était alors transférée du plan physique au plan moral. Elle protégeait moins les morts de l'oubli qu'elle n'affirmait l'impossibilité des vivants à les oublier, et à vivre comme avant leur départ. Les morts, les pauvres morts n'ont plus besoin de la société pour les défendre contre l'indifférence de leurs proches, de même que les moribonds n'ont plus besoin des testaments pour imposer leurs dernières volontés à leurs héritiers, comme nous l'avons vu plus haut.

Les progrès du sentiment familial se sont alors, à la fin du XVIIIe siècle et au début du XIXe, combinés avec les traditions anciennes de réclusion pour faire du deuil moins une quarantaine imposée qu'un droit à manifester, en dépit de la bienséance normale, une douleur excessive. On revenait ainsi à la spontanéité du haut Moyen Age en conservant les contraintes rituelles qui lui ont succédé vers le XIIe siècle. Si on pouvait tracer une courbe du deuil, on aurait une première phase aiguë de spontanéité ouverte et violente jusqu'au XIIIe siècle environ, puis une phase longue de ritualisation jusqu'au XVIIIe siècle, et encore au XIXe siècle une période de dolorisme exalté, de manifestation dramatique et de mythologie funèbre. Il n'est pas impossible que le paroxysme du deuil au XIXe siècle ne soit en relation avec son interdiction au XXe, de même que la mort sale des après-guerres, de Remarque à Sartre et à Genet, apparaît comme le négatif de la mort très noble du romantisme. C'est ce que signifie, avec une précision plus dérisoire que scandaleuse, le geste de Sartre « faisant de l'eau » sur le tombeau de Chateaubriand. Il fallait un Chateaubriand pour ce Sartre. C'est un rapport du même ordre qui rattache l'érotisme contemporain aux tabous victoriens du sexe.

Aujourd'hui, à la nécessité millénaire du deuil, plus ou moins spontanée ou imposée selon les époques, a succédé au milieu du XXe siècle son interdiction. Pendant la durée d'une génération la situation a été renversée : ce qui était commandé par la conscience individuelle ou par la volonté générale est désormais défendu. Ce qui était défendu est aujourd'hui recommandé. Il ne convient plus d'afficher sa peine ni même d'avoir l'air d'en éprouver.

Le mérite d'avoir dégagé cette loi non écrite de notre civilisation revient au sociologue britannique Geoffrey Gorer. Il a compris le premier que certains faits, négligés, ou mal interprétés, par les morales humanistes, constituaient bien une attitude globale devant la mort, caractéristique des sociétés industrielles. Dans l'introduction autobiographique de son livre, Gorer raconte par quelle voie personnelle il a découvert que la mort était devenue le principal interdit du monde moderne. L'enquête sociologique qu'il a organisée en 1963 sur l'attitude devant la mort et le deuil en Angleterre a seulement confirmé, précisé et enrichi les idées qu'il avait déjà proposées dans son remarquable article « The Pornography of Death », qu'il tirait alors de son expérience personnelle et de ses réflexions.

Il est né en 1910. Il se rappelle qu'à la mort d'Édouard VII, toute sa famille avait pris le deuil. On lui apprenait, comme à tous les enfants français, à se découvrir dans la rue au passage des convois, à traiter avec des égards particuliers les personnes en deuil, pratiques qui paraissent étranges aux Britanniques de notre temps! Mais voici qu'en 1915 son père périt dans le naufrage du *Lusitania;* à son tour, on le traita comme un être à part, avec une douceur inhabituelle, on parlait bas ou on se taisait en sa présence comme devant un infirme. Cependant quand, encouragé par l'importance que lui donnait son deuil, il déclara à son institutrice qu'il ne pourrait plus jamais s'amuser, ni regarder des fleurs, celle-ci le secoua et lui ordonna de cesser d'être *morbid.* La guerre permit à sa mère de prendre un travail où elle trouva un dérivatif à sa tristesse. Auparavant, les convenances ne lui auraient pas permis de travailler, « mais plus tard, remarque Gorer, elle n'aurait plus eu le bénéfice du deuil rituel » qu'elle avait respecté et qui l'avait préservée. Gorer connut donc dans son enfance les manifestations traditionnelles du deuil, et elles durent le frapper, car il sut s'en souvenir ensuite. Après la guerre, pendant sa jeunesse, il n'eut plus d'autres expériences de la mort. Il a vu seulement une fois et par hasard un cadavre dans un hôpital russe qu'il visitait en 1931, et ce spectacle inaccoutumé l'impressionna. Cette absence de familiarité est bien certainement un phénomène général, conséquence, longtemps inaperçue, de l'accroissement de la longévité; J. Fourcassié a montré comment, en théorie, le jeune homme d'aujourd'hui peut atteindre l'âge adulte sans avoir jamais vu mourir. Cependant,

Gorer a été surpris de trouver, dans la population soumise à son enquête, plus qu'il ne croyait de personnes qui avaient déjà vu un mort. Ceux-là qui ont déjà vu adoptent spontanément le comportement de ceux qui n'ont jamais vu, et s'empressent d'oublier.

Il fut bientôt surpris de l'état de dépression où sombra son frère, un médecin renommé, après la mort de sa belle-sœur. Les intellectuels commençaient déjà à abandonner les funérailles traditionnelles et les manifestations extérieures du deuil, considérées comme des pratiques superstitieuses et archaïques. Mais Gorer ne fit pas alors de rapprochement entre le désespoir pathologique de son frère et la privation du deuil rituel. Il en fut autrement en 1948. Il perdit alors un ami qui laissait une femme et trois enfants. « Quand je vins la voir, dix mois après la mort de John, elle me dit avec des larmes de reconnaissance que j'étais le premier visiteur qu'elle voyait depuis le début de son veuvage. Elle avait été complètement abandonnée à la solitude par la société, quoiqu'elle comptât en ville beaucoup de relations qui se prétendaient des amis. » G. Gorer comprit alors que les changements survenus dans la pratique du deuil n'étaient pas de petits faits anecdotiques et insignifiants. Il découvrit l'importance du phénomène, et la gravité de ses effets; c'est quelques années plus tard, en 1955, qu'il publiait son fameux article.

L'épreuve décisive est venue quelques années plus tard. En 1961, son propre frère, le médecin, qui s'était remarié, tomba malade : il était atteint d'un cancer. On lui cacha, bien entendu, la vérité, et on ne se décida à la révéler à sa femme Elizabeth que parce que celle-ci s'irritait du comportement de son mari qu'elle ne savait pas malade, et le bousculait parce qu'il s'écoutait trop. Contre toutes les prévisions, l'évolution fut rapide, et le frère de Gorer s'éteignit presque subitement dans son sommeil. On se félicita qu'il ait eu le privilège, désormais envié, d'être mort sans savoir ce qui lui arrivait. Dans cette famille de grands intellectuels, pas de veillée funèbre, pas d'exposition du corps. Comme le décès avait eu lieu à la maison, il fallut faire la dernière toilette du cadavre. Il y avait pour cela des spécialistes, anciennes infirmières qui utilisent ainsi les loisirs de la retraite. Les voici qui arrivent, deux vieilles demoiselles : « Où est le malade? » Il n'y a plus ni mort ni cadavre. Seulement un malade qui garde son statut de malade malgré la transformation biologique qu'il a subie, au moins tant qu'il sera reconnaissable et restera visible. La toilette funéraire est un rite traditionnel. Mais son sens a changé. Elle était jadis destinée à fixer le corps dans l'image idéale qu'on avait alors de la mort, dans l'attitude du gisant qui attend, les mains croisées, la vie du siècle à venir. C'est à l'époque romantique que l'on a découvert la beauté originale que la mort impose au visage humain, et les derniers soins eurent pour but de dégager cette beauté des salissures de l'agonie. Dans un cas comme dans l'autre, c'était une image de mort qu'on se proposait de fixer : un beau cadavre, mais un cadavre. Quand les deux braves demoiselles en eurent terminé avec leur « malade », elles étaient si satisfaites de leur œuvre qu'elles convièrent la famille à l'admirer : « *The patient looks lovely, now.* » Ce n'est pas un mort que vous allez trouver, c'est un presque-vivant. Nos doigts de fée lui ont rendu les apparences de la vie. Il est débarrassé des laideurs de l'agonie, mais ce n'est pas pour le figer dans la majesté du gisant ou la beauté trop hiératique des morts; il garde le charme de la vie, il est toujours aimable, *lovely*.

La toilette funéraire a désormais pour but de masquer les apparences de la mort et de conserver au corps les allures familières et joyeuses de la vie. Il faut reconnaître que, dans l'Angleterre de Gorer, cette tendance est à peine esquissée, et cette famille d'intellectuels résiste à l'enthousiasme des infirmières. Mais, aux États-Unis, la toilette funéraire ira jusqu'à l'embaumement et à l'exposition dans les *funeral homes*.

Dans cette famille d'intellectuels britanniques, on n'est abusé ni par les croyances d'un autre âge ni par l'ostentation tapageuse d'un modernisme à l'américaine. Le corps sera incinéré. Mais l'incinération a pris, en Angleterre et sans doute dans le Nord de l'Europe, un sens particulier, que dégage bien l'enquête de Gorer. On ne choisit plus l'incinération, comme ce fut longtemps le cas, par défi à l'Église et aux usages chrétiens anciens. On ne la choisit pas non plus seulement pour des raisons de commodité et d'économie d'encombrement que l'Église serait disposée à admettre en souvenir d'un temps où les cendres, comme celles du frère d'Antigone, étaient aussi vénérées que les os inhumés. L'incinération moderne en Angleterre suppose bien plus un souci de la modernité, une assurance de rationalité et finalement un refus de la survie. Mais ces caractères n'apparaissent pas tout de suite et avec évidence dans les déclarations spontanées des sujets interrogés. Sur 67 cas de l'enquête, on compte 40 incinérations contre 27 enterrements. Les raisons pour lesquelles l'incinération a été préférée se ramènent à deux. L'incinération est d'abord considérée comme le moyen le plus radical de se débarrasser des morts. C'est pourquoi une femme, dont la mère avait été incinérée et qui jugeait le procédé « plus sain, plus hygiénique », l'a cependant écarté pour son mari, parce que *too final :* elle l'a fait enterrer.

La seconde raison se ramène d'ailleurs à la première : l'incinération exclut le culte des cimetières et le pèlerinage aux tombeaux. Cette exclusion n'est pas une conséquence nécessaire de l'incinération. Au contraire, les administrations des jardins crématoires font tous leurs efforts pour permettre aux familles de vénérer leurs morts aussi bien que dans les cimetières traditionnels : dans une salle du souvenir, on peut déposer une plaque qui joue le rôle de pierre tombale. Mais sur les 40 cas de l'enquête, un seul a eu son nom gravé sur une telle plaque. 14 seulement ont été inscrits sur le livre du souvenir, qui est exposé quotidiennement à la page du jour dont c'est l'anniversaire afin de permettre sa commémoration : solution intermédiaire entre l'effacement complet et la pérennité de la plaque gravée. Pour les 25 autres, aucune trace visible n'a été laissée. Si les familles ne profitent pas des facilités mises à leur disposition, c'est parce qu'elles voient dans l'incinération le moyen sûr d'échapper au culte des morts.

On se tromperait gravement si on attribuait ce recul devant le culte des morts et de leur souvenir à de l'indifférence, à de l'insensibilité. Les résultats de l'enquête et le témoignage autobiographique de Gorer prouvent au contraire combien les survivants sont atteints et demeurent blessés. Pour nous en convaincre, revenons au récit de Gorer, au moment de l'incinération de son frère Pierre. La veuve, Elizabeth, n'assista ni à l'incinération ni au service anglican qui la précéda, concession aux usages car le défunt n'avait aucune religion. L'absence d'Elizabeth n'est due ni aux interdictions rituelles des deuils anciens, ni à de la froideur, mais à la peur de « craquer » et à une nouvelle forme de pudeur. « Elle ne supportait pas l'idée qu'elle pourrait perdre le contrôle d'elle-même et montrer publiquement sa détresse. » La nouvelle convention exige qu'on cache ce qu'autrefois il fallait exposer, voire simuler : sa peine.

Il y avait des raisons encore plus impérieuses d'écarter les enfants d'une cérémonie aussi traumatisante. Déjà en France, où les usages anciens résistent mieux, les enfants de la bourgeoisie et des classes moyennes (les familles de « cadres ») n'assistent presque plus jamais aux enterrements de leurs grands-parents; des vieillards plusieurs fois grands-pères sont expédiés par des adultes aussi pressés et gênés qu'émus, sans la présence d'aucun de leurs petits-fils. J'ai été frappé par ce spectacle, alors que je venais de lire, au Minutier central, des documents du XVIIe siècle où le testateur, souvent encore indifférent à la présence de ses proches, réclamait avec insistance qu'un petit-enfant suive son convoi. Aux mêmes époques, on recrutait une partie des pleureurs parmi les enfants trouvés ou assistés des hôpitaux. Dans les nombreuses représentations du mourant dans sa chambre encombrée de monde, le peintre ou le graveur n'oubliait jamais de placer un enfant.

Elizabeth et ses enfants sont donc restés à la maison, à la campagne, le jour de l'incinération. Geoffrey les rejoint le soir brisé de fatigue et d'émotion. Sa belle-sœur l'accueille, très sûre d'elle, et lui raconte qu'elle a passé une bonne journée avec les enfants, qu'ils ont tous pique-niqué sur l'herbe, et qu'ensuite ils ont tondu la pelouse... Elizabeth, Américaine de la Nouvelle-Angleterre, adoptait spontanément, avec franchise et courage, la conduite que ses compatriotes lui avaient apprise et que les Anglais attendaient d'elle : elle devait agir comme si rien ne s'était passé, afin de permettre aux autres d'en faire autant et à la vie sociale de continuer sans être interrompue, même un instant, par la mort. Se serait-elle risquée en public à quelque démonstration de tristesse qu'elle aurait été mise à l'index par la société, comme jadis une femme de mauvaise vie. D'ailleurs, malgré ses précautions, Elizabeth a été au début de son deuil comme préventivement évitée par ses amies. Elle confia à son beau-frère qu'on l'avait d'abord écartée « comme une lépreuse ». On l'accepta seulement quand on eut l'assurance qu'elle ne trahirait aucune émotion. En fait cet isolement la conduisit au bord de la dépression : « A l'époque où elle avait le plus besoin d'aide et de consolation, la société l'a laissée seule. » C'est alors que Geoffrey Gorer eut l'idée de son enquête sur le refus moderne du deuil et sur ses effets traumatisants.

On comprend bien comment les choses se sont passées. Selon lui, cela a commencé par la disparition des consignes sociales qui imposaient des conduites rituelles et un statut spécial pendant le deuil, à la fois à la famille et à la société dans ses rapports avec la famille. L'auteur accorde une importance peut-être excessive aux grandes guerres mondiales comme accélérateurs d'évolution. Peu à peu de nouvelles convenances se sont imposées, mais spontanément et sans qu'on prît conscience de leur originalité. Encore aujourd'hui, elles ne sont pas formalisées à l'instar des anciens usages; elles n'en ont pas moins un pouvoir contraignant. La mort est devenue un tabou, une chose innommable (l'expression revient dans un tout autre contexte dans le livre de Jankélévitch sur la mort), et, comme jadis le sexe, il ne faut pas la nommer en public. Il ne faut pas plus obliger les autres à la nommer. Gorer montre de façon frappante comment, au XXe siècle, la mort a remplacé le sexe comme principal interdit. On disait autrefois aux enfants qu'ils naissaient dans un chou, mais ils assistaient à la grande scène des adieux, dans la chambre et au chevet du mourant. Cependant, dès la seconde moitié du XIXe siècle, cette présence laissait un malaise, et on tendait, non pas à la supprimer, mais à l'abréger. A la mort d'Emma Bovary et d'Ivan Ilitch, on a bien respecté l'usage ancien de la présentation des enfants, mais on les a fait sortir aussitôt de la chambre, parce qu'on ne supportait plus l'horreur que pouvaient leur inspirer les déformations de l'agonie. Éloignés du lit de mort, les enfants avaient toujours leur place aux obsèques, habillés de noir de pied en cap.

Aujourd'hui les enfants sont initiés, dès le plus jeune âge, à la physiologie de l'amour et de la naissance, mais, quand ils ne voient plus leur grand-père et demandent pourquoi, on leur répond en France qu'il est parti en voyage très loin, et en Angleterre qu'il se repose dans un beau jardin où pousse le chèvrefeuille. Ce ne sont plus les enfants qui naissent dans les choux, mais les morts qui disparaissent parmi les fleurs. Les parents des morts sont donc contraints de feindre l'indifférence. La société exige d'eux un contrôle de soi qui correspond à la décence ou à la dignité qu'elle impose aux moribonds. Dans le cas du mourant, comme dans celui du survivant, il importe de ne rien laisser percer de ses émotions. La société tout entière se comporte comme l'unité hospitalière. Si le moribond doit à la fois surmonter son trouble et collaborer gentiment avec les médecins et les infirmières, le survivant malheureux doit cacher sa peine, renoncer à se retirer dans une solitude qui le trahirait et continuer sans une pause sa vie de relations, de travail et de loisirs. Autrement il serait exclu, et cette exclusion aurait une tout autre conséquence que la réclusion rituelle du deuil traditionnel. Celle-ci était acceptée par tous comme une transition nécessaire et elle comportait des tempéraments également rituels, comme les visites obligatoires de condoléances, les « lettres de consolation », les « secours » de la religion. Elle a aujourd'hui le caractère d'une sanction analogue à celle qui frappe les déclassés, les malades contagieux, les maniaques sexuels. Elle rejette les affligés impénitents du côté des asociaux. Qui veut s'épargner cette épreuve doit donc garder le masque en public et ne le déposer que dans l'intimité la plus sûre : « On ne pleure, dit Gorer, qu'en privé, comme on se déshabille ou on se repose en privé », en cachette, « *as if it were an analogue of masturbation* ».

La société refuse aujourd'hui de reconnaître dans le *bereaved*, dans l'homme frappé par le deuil, un malade qu'elle devrait au contraire secourir. Elle refuse d'associer l'idée de deuil à celle de maladie. La vieille civilité était à cet égard plus compréhensive, peut-être plus « moderne », plus sensible aux effets pathologiques d'une souffrance morale refoulée. Gorer découvre dans notre temps cruel la bienfaisance des usages ancestraux qui protégeaient l'homme frappé par la mort d'un être aimé. Pendant son deuil, « il a plus besoin de l'assistance de la société qu'à aucun autre moment de sa vie depuis son enfance et sa première jeunesse, et c'est pourtant alors que notre société lui retire son aide et lui refuse son assistance. Le prix de cette défaillance en misère, solitude, désespoir, morbidité, est très élevé ». La défense du deuil pousse le survivant à s'étourdir de travail ou, au contraire, à la limite de la déraison, à faire semblant de vivre dans la compagnie du défunt, comme s'il était toujours là, ou, encore, à se substituer à lui, à imiter ses gestes, ses paroles, ses manies et parfois, en pleine névrose, à simuler les symptômes de la maladie qui l'a emporté. On voit alors réapparaître des manifestations étranges de la douleur exaltée, qui paraissent nouvelles et modernes à Gorer, et qui sont pourtant familières à l'historien des mœurs. Celui-ci les avait déjà rencontrées dans les manifestations excessives qui étaient admises, recommandées, voire simulées, pendant la période rituelle du deuil dans les sociétés traditionnelles. Mais il doit admettre que seules les apparences sont communes. Ces manifestations avaient en effet pour but, jadis, de libérer; même quand, comme cela arriva plus souvent à l'époque romantique, elles dépassaient les limites de l'usage et devenaient déjà pathologiques, elles n'étaient pas repoussées comme monstrueuses, elles étaient gentiment tolérées. L'indulgence de la société apparaît de manière frappante dans une nouvelle de Mark Twain où tous les amis du défunt acceptent avec complaisance d'entretenir l'illusion de la veuve qui n'a pas accepté la mort et, à chaque anniversaire, imagine et joue l'impossible retour. Dans le contexte actuel, les hommes refuseraient de se prêter à une comédie aussi malsaine. Là où les rudes héros de Mark Twain témoignaient de la tendresse et de l'indulgence, la société moderne ne voit plus que morbidité gênante et honteuse, ou maladie mentale à soigner. On en vient à se demander alors, avec Gorer, si une grande partie de la pathologie sociale d'aujourd'hui n'a pas sa source dans l'évacuation de la mort hors de la vie quotidienne, dans l'interdiction du deuil et du droit de pleurer ses morts.

3. L'invention de nouveaux rites funéraires aux États-Unis

D'après les analyses précédentes, on serait tenté d'admettre que l'interdit qui frappe aujourd'hui la mort est un caractère structural de la civilisation contemporaine. L'effacement de la mort du discours et des moyens familiers de communication appartiendrait, comme la priorité du bien-être et de la consommation, au modèle des sociétés industrielles. Il serait à peu près accompli dans la vaste zone de modernité qui recouvre le nord de l'Europe et de l'Amérique. Il rencontrerait au contraire des résistances là où subsistent des formes archaïques de mentalité, dans les pays catholiques comme la France ou l'Italie, protestants comme l'Écosse presbytérienne, et encore parmi les masses populaires des pays techniciens. Le souci de la modernité intégrale dépend en effet autant des conditions sociales que géographiques, et, dans les régions les plus évoluées, il est encore restreint aux classes instruites, croyantes ou sceptiques. Là où il n'a pas pénétré persistent les attitudes romantiques devant la mort, nées au XVIIIe siècle et développées au XIXe, le culte des morts et la vénération des cimetières : il s'agirait toutefois de survivances qui font illusion parce qu'elles affectent encore la population la plus nombreuse, mais qui sont menacées. Elles seraient promises à une régression inévitable en même temps que les mentalités arriérées auxquelles elles sont associées. Le modèle de la société future leur sera imposé et achèvera l'évacuation de la mort déjà commencée dans les familles bourgeoises, qu'elles soient progressistes ou réactionnaires. Ce schéma évolutionniste n'est pas entièrement faux, et il est probable que le refus de la mort appartient trop au modèle de la civilisation industrielle pour ne pas s'étendre en même temps que lui. Il n'est pas non plus absolument vrai, parce que des résistances sont apparues là où on les attendait le moins, non pas dans les ferveurs archaïques des vieux pays, mais au foyer le plus fécond de la modernité, aux États-Unis. L'Amérique a pourtant été la première à émousser le sens tragique de la mort. C'est en Amérique qu'ont pu être faites les premières observations sur les attitudes nouvelles devant la mort. Elles ont inspiré l'humeur satirique du romancier catholique anglais Evelyn Waugh dans *The Loved One*, paru en 1948[1]. En 1951, elles frappaient l'attention de Roger Caillois qui les interprète bien comme un escamotage hédoniste : « Le trépas n'est pas à craindre, non par suite d'une obligation morale commandant de surmonter la peur qu'il provoque, mais parce qu'il est inévitable et qu'en fait il n'existe aucune raison de l'appréhender; *simplement il n'y faut point penser et encore moins en parler*[2]. »

Tout ce que nous avons décrit dans les pages précédentes est vrai de l'Amérique, l'aliénation du mourant, la suppression du deuil, sauf ce qui concerne l'enterrement proprement dit. L'Américain a répugné à simplifier, autant que l'Anglais modèle de Gorer, le rite des obsèques et de l'enterrement. Pour comprendre cette singularité de la société américaine, il faudrait reprendre le récit fait plus haut de la mort de l'homme moderne, à partir du dernier soupir. Jusqu'au dernier soupir, et après l'enterrement, pendant le drôle de deuil, les choses se passeraient de la même manière en Amérique et en Angleterre. Il n'en est pas de même pendant la période intermédiaire. On se rappelle la satisfaction des infirmières chargées de la toilette du corps : « *It looks lovely now.* » Dans le milieu anglais cet enthousiasme s'éteint aussitôt, faute d'être partagé par la famille et encouragé par la société. L'essentiel est, en Angleterre, de faire disparaître le corps, avec décence, certes, mais rapidité, et complètement grâce à l'incinération.

1. E. Waugh, *op. cit.*
2. R. Caillois, *op. cit.*

En Amérique, au contraire, la toilette funéraire est le début d'une série de rites nouveaux, compliqués et somptueux : embaumement du corps afin de lui restituer les apparences de la vie, exposition dans le salon d'un *funeral home* où le mort reçoit une dernière fois la visite de ses parents et amis au milieu des fleurs et de la musique, obsèques solennelles, enterrement dans les cimetières dessinés comme des parcs, embellis de monuments et destinés à l'édification morale de visiteurs plus touristes que pèlerins. On ne décrira pas plus longtemps ici ces coutumes funéraires, bien connues par la caricature d'Evelyn Waugh, transposée récemment au cinéma, et par les critiques de Jessica Mitford dans son livre *The American Way of Death.* Cette littérature à la fois moraliste et polémique risque de nous faire commettre un contresens. Elle nous suggère soit une exploitation commerciale et la pression d'intérêts, soit une perversion du culte du bonheur. Elle nous masque le sens véritable qui est refus d'une évacuation radicale de la mort, et répugnance pour une destruction physique sans rites et sans solennité. C'est pourquoi l'incinération est si peu répandue aux États-Unis.

La société américaine est très attachée à ses nouveaux rites funéraires, qui paraissent ridicules aux Européens et à ses propres intellectuels (J. Mitford est l'écho des milieux intellectuels); elle leur est si attachée que l'interdit sur la mort est à cette occasion rompu. On lit dans les autocars américains des annonces de ce genre : *The dignity and integrity of N... Funeral costs no more... Easy access. Private parking for over 100 cars.* Évidemment la mort est ici aussi un objet de consommation. Mais il est remarquable qu'elle ait pu le devenir, ainsi qu'objet de publicité, malgré l'interdit qui la frappait partout ailleurs dans la vie sociale. L'Américain ne se conduit pas envers les morts, une fois qu'ils sont morts, comme envers la mort en général, ou envers le mourant et le survivant. Il ne suit plus alors la pente où l'invite la modernité. Il laisse aux morts un espace social, que les civilisations traditionnelles leur avaient toujours réservé et que les sociétés industrielles réduisent à presque rien. Il maintient l'adieu solennel aux morts que, dans les autres provinces du monde des techniques et du bien-être, on expédie à la sauvette. Une circonstance a sans doute hâté cette réaction non conforme : l'homme d'aujourd'hui meurt de plus en plus à l'hôpital et de moins en moins chez lui. Les Français, dont les hôpitaux gardent encore les traces du XVIIe siècle quand les malades étaient soumis au régime humiliant et grossier des vagabonds, des délinquants, ont l'expérience des chambres froides où les corps sont conservés comme une viande anonyme; ils sont bien placés pour comprendre comment l'extension du régime hospitalier doit rendre plus nécessaire un temps de recueillement et de solennité, entre la morgue collective et l'enfouissement définitif.

Cette solennité aurait pu se situer comme autrefois à la maison. Mais les nouveaux interdits de la mort s'opposaient au retour du corps trop près de l'habitation des vivants : dans les *intelligentsias* européennes, on tolère de moins en moins de garder les corps, quand le décès a lieu à la maison, soit par hygiène, soit plutôt par crainte nerveuse de ne pas supporter sa présence et de « craquer ». On a donc imaginé aux États-Unis de déposer le corps dans un endroit neutre qui ne serait ni l'hôpital anonyme ni la maison trop personnelle, c'est-à-dire au *funeral home*, chez une sorte d'hôtelier spécialisé dans la réception des morts, le *funeral director*. Le séjour au *funeral home* est un compromis entre la déritualisation décente, mais hâtive et radicale, de l'Europe du Nord et les cérémonies archaïques du deuil traditionnel. De même, les nouveaux rites funéraires créés par les Américains sont-ils un compromis entre leur répugnance à ne pas marquer un temps d'arrêt solennel après la mort, et leur respect général de l'interdit sur la mort. C'est pourquoi ces rites nous paraissent si différents de ceux auxquels nous sommes habitués, et par conséquent si ridicules. Il leur arrive sans doute de reprendre quelques éléments traditionnels. Le cercueil à demi fermé afin de découvrir le haut du corps, la tête et le buste, n'est pas une invention des *morticians* américains. Ceux-ci l'ont emprunté aux coutumes méditerranéennes toujours suivies aujourd'hui à Marseille, en Italie, et déjà pratiquées au Moyen Age : une fresque du XVe siècle de l'église Saint-

Pétrone de Bologne nous montre les reliques de saint Marc conservées dans un cercueil de ce type.

Mais le sens des rites de la *funeral home* a totalement changé. Ce n'est plus le mort qu'on célèbre dans les salons des *funeral homes*, mais le mort transformé en presque-vivant par l'art des *morticians*. Les vieux procédés d'embaumement servaient surtout à communiquer aux morts célèbres et vénérés quelque chose de l'incorruptibilité des saints. L'un des miracles qui témoigne de la sainteté d'un défunt est l'incorruptibilité merveilleuse de son corps. En aidant à le rendre incorruptible, on l'engageait sur le chemin de la sainteté, on coopérait à l'œuvre de sacralisation.

Dans l'Amérique d'aujourd'hui, les techniques chimiques de conservation servent à faire oublier le mort et à créer l'illusion du vivant. Le presque-vivant va recevoir une dernière fois ses amis, dans un salon fleuri, au son d'une musique douce ou grave, jamais lugubre. De cette cérémonie d'adieu, l'idée de mort a été bannie, en même temps que toute tristesse et tout pathétique. Roger Caillois l'avait bien vu : « Des morts habillés de pied en cap qui continuent d'avoir la personnalité physique et qui viendraient là comme pour une promenade en rivière. » Il demeure cependant qu'on pourrait se dispenser de cette dernière illusion, qu'on s'en dispense dans les parties de la société anglaise décrites par Geoffrey Gorer, qu'on voudrait s'en dispenser dans l'*intelligentsia* américaine représentée par Jessica Mitford. La résistance de l'Amérique correspond sans doute à des traits profonds de sa mentalité.

L'idée de faire du mort un vivant pour le célébrer une dernière fois peut nous paraître puérile et saugrenue. Elle se mêle, comme souvent aux États-Unis, à des préoccupations commerciales et à un vocabulaire de propagande. Elle témoigne cependant d'une adaptation rapide et précise à des conditions complexes et contradictoires de sensibilité. C'est la première fois qu'une société honore d'une manière générale ses morts en leur refusant le statut de morts. Cela s'était fait cependant du XVe au XVIIe siècle, mais pour une seule catégorie de mort : le roi de France. A sa mort, le roi embaumé était habillé de la pourpre du jour du sacre, étendu sur un lit d'apparat semblable à un lit de justice, comme s'il allait se réveiller d'un moment à l'autre. Dans la chambre on dressait les tables d'un banquet, souvenir sans doute des banquets funéraires, mais surtout signe de refus du deuil. Le roi ne mourait pas. Il recevait une dernière fois sa cour en habits de fête, comme un riche Californien dans le salon d'un *funeral home*. L'idée de continuité de la Couronne avait imposé un rite funéraire en somme assez voisin, malgré la différence des temps, de celui de l'Amérique contemporaine : compromis entre l'honneur dû au mort et le refus d'une mort innommable.

Les Américains convaincus de la légitimité de leur *way of death* comme de leur *way of life*, et bien entendu leurs *funeral directors*, donnent à leurs rites une autre justification très intéressante parce qu'elle reprend d'une manière inattendue les hypothèses de Gorer sur les effets traumatisants du refus du deuil. Le fait est rapporté par Jessica Mitford : « Récemment, un *funeral director* m'a raconté le cas d'une femme qui a dû subir un traitement psychiatrique parce que les funérailles de son mari ont été faites avec un *casket* (on ne parle plus de cercueil) fermé, sans exposition ni réception, et dans un autre État, hors de sa présence. » C'est le cas de l'Anglais évolué. « Le psychiatre confia au *funeral director* qu'il avait, à cette occasion, beaucoup appris sur les conséquences du manque de cérémonie dans les funérailles. La malade a été traitée, elle est guérie, et elle a juré qu'elle n'assisterait jamais plus à un *memorial type service*, c'est-à-dire à un service réduit à une simple commémoration rapide du défunt.

Les *funeral directors*, menacés dans leurs intérêts par le mouvement d'opinion pour la simplification des funérailles, s'abritent derrière l'avis de psychologues, selon lesquels de belles funérailles fleuries écartent la tristesse et la remplacent par une douce sérénité. L'industrie des pompes funèbres et des cimetières (qui sont privés, sauf les « fosses aux pauvres ») a une fonction morale et sociale. Elle adoucit *(softness)* le regret des survivants, et elle aménage les monuments et les jardins de la mort pour le bonheur des vivants. Aux États-

Unis, on attribue aux cimetières américains d'aujourd'hui le rôle qui était dévolu aux futures nécropoles par les faiseurs de projets français de la fin du XVIIIe siècle, quand un édit royal défendit l'inhumation dans les villes. Il fallut alors prévoir des cimetières nouveaux et toute une littérature décrit ce qu'ils devront être (et ce que sera le Père-Lachaise, modèle des cimetières modernes en Europe et en Amérique) : on est frappé par la ressemblance entre ces textes du XVIIIe siècle et la prose des *funeral directors* d'aujourd'hui et des moralistes américains qui les soutiennent, telle que la cite Jessica Mitford. L'Amérique retrouve le ton et le style des Lumières. Les retrouve-t-elle ou les a-t-elle toujours entretenus? Les historiens de la société américaine pensent que le puritanisme du XVIIIe siècle ne permettait pas le développement d'un sentiment hédoniste de la mort et que l'optimisme contemporain n'est pas antérieur au début de ce siècle. Influence directe ou répétition à un siècle d'intervalle, la similitude n'en est pas moins saisissante.

En France, il s'en est fallu du romantisme pour que le Père-Lachaise ne ressemble pas plus à Forest Lawn, le fameux cimetière de Los Angeles caricaturé par E. Waugh. Le romantisme a déformé le phénomène, et ses effets persistent toujours dans les représentations populaires de la mort, dans le culte des tombeaux. En revanche, on a le sentiment que l'Amérique a traversé plus vite le romantisme et retrouvé intact l'esprit des Lumières, retardé par le puritanisme. Le puritanisme aurait joué en Amérique le rôle retardateur du romantisme en Europe, mais il aurait cédé plus tôt et plus vite, laissant la place aux mentalités encore proches des Lumières, porteuses de la modernité. On ne peut se défendre de l'impression que, sur ce point comme sur beaucoup d'autres (le droit constitutionnel par exemple), l'Amérique est plus proche du XVIIIe siècle que l'Europe.

Ainsi, pendant le dernier tiers de siècle, un phénomène énorme s'est produit, qu'on commence seulement à apercevoir : la mort, cette compagne familière, a disparu du langage, son nom est devenu interdit. A la place des mots et des signes que nos ancêtres avaient multipliés il s'est répandu une angoisse diffuse et anonyme. La littérature, avec Malraux, Ionesco, réapprend à lui donner son vieux nom, effacé de l'usage, de la langue parlée, des conventions sociales. Dans la vie de tous les jours, la mort, jadis si bavarde, si souvent représentée, a perdu toute positivité, elle n'est que le contraire ou l'envers de ce qui est réellement vu, connu, parlé.

C'est un profond changement. A vrai dire, pendant le Haut Moyen Age, et, plus tard, dans le peuple, la mort n'occupait pas non plus une grande place : elle n'était pas écartée par un interdit comme aujourd'hui, mais son pouvoir était émoussé par son extrême familiarité. A partir des XIIe-XIIIe siècles, au contraire, la mort envahit les consciences et les préoccupations, au moins celles des clercs, et les *litterati.* Cela se fit en une ou deux étapes, du moins autour de deux séries de thèmes, aux XIIe-XIIIe siècles autour du thème du Jugement dernier, aux XIVe-XVe siècles autour du thème de l'art de mourir. Dans la chambre du mourant des *artes moriendi* l'univers entier est réuni : les vivants de ce monde autour du lit, et les esprits du ciel et de l'enfer qui se disputent l'âme du moribond, en présence du Christ et de toute la cour céleste. La vie du mourant est enfermée en raccourci dans ce petit espace et ce court moment, et, quelle qu'elle soit, elle est alors au centre du monde naturel et surnaturel. La mort est le lieu de la prise de conscience de l'individu.

On sait d'autre part que le second Moyen Age est l'époque où l'individu s'est dégagé des plus anciennes représentations collectives, où l'individualisme s'est affirmé sous toutes ses formes : religieuses, économiques (début du capitalisme), culturelles... Le témoignage le plus frappant de l'individualisme est, à mon avis, le testament. Il se constitue en une sorte de genre littéraire et devient le moyen d'expression de l'individu, le témoin de sa prise de conscience. Quand il se réduit à une fonction financière, c'est le signe d'un déclin ou tout au moins d'un changement. Les progrès de la science, l'affirmation des droits de l'homme, le développement de la bourgeoisie, au XVIIIe siècle, correspondent bien à un état avancé de l'individualisme : mais ils sont des fruits d'automne, car, dans l'intimité inaperçue de la vie quotidienne, la libre disposition de soi était déjà alors menacée par la contrainte de la famille d'abord, du métier ou de la profession ensuite. La correspondance certaine entre le triomphe de la mort et le triomphe de l'individu pendant le second Moyen Age nous invite à nous demander si une relation semblable, mais inverse, n'existe pas aujourd'hui entre la « crise de la mort » et celle de l'individualité *.

* Cet article a été publié dans *Archives européennes de sociologie*, vol. VIII, 1967, p. 169-195.

9

Le malade, la famille et le médecin

Dans cet article, je me propose de montrer comment, dans notre civilisation occidentale, on est passé de l'exaltation de la mort à l'époque romantique (début du XIXe siècle) au refus de la mort aujourd'hui. Il faudra à mon lecteur beaucoup de patience pour supporter la description de mœurs qui datent à peine d'un peu plus de cent ans, et qui doivent lui paraître vieilles de je ne sais combien de siècles déjà.

Nous sommes en 1834, dans une famille noble française qui vivait en Italie pour des raisons politiques (ces nobles attachés aux Bourbons de la branche aisée ne voulaient pas servir la France de Louis-Philippe), des catholiques très pieux : la famille La Ferronays. Les parents, d'anciens émigrés, avaient eu dix enfants, dont quatre sont morts tout petits. Trois des six enfants qui ont vécu ont été emportés par la tuberculose — le mal du siècle — dès leurs années vingt, entre 1834 et 1848. La seule fille qui ait survécu, Pauline Craven, a réuni les lettres et les journaux privés de son père, de sa belle-sœur et de ses sœurs, publiés en 1867 sous le titre *Récit d'une sœur*. Le vrai titre serait : une famille amoureuse de la mort. Un document extraordinaire qui décrit avec complaisance, à l'aide de documents irréfutables, les attitudes devant la mort et la manière de mourir de très jeunes gens.

Albert de la Ferronays avait vingt-deux ans en 1834. Il était déjà très atteint. « Je fais, écrit-il dans son journal, une maladie *inflammatoire* qui me conduisit à deux pas du tombeau. » Il se sent las et nerveux, mais « qui ne le serait [nerveux] au bout de deux ans de soins, de veilles, de tortures. de saignées et de visites de médecin ».

Cet état, qui nous paraît grave, ne l'a pas empêché d'épouser, la même année, la fille (protestante) d'un diplomate russe, suédois d'origine, et d'une mère allemande. La famille de la fille s'était un moment inquiétée, moins de la maladie du garçon, que de l'absence de fortune et de carrière. Mais les jeunes gens s'aimaient passionnément, à la manière romantique, et ils se marièrent le 18 avril 1834. Deux jours après, Albert a sa première hémoptysie : les médecins conseillent un voyage à Odessa par bateau à la fin 1835; de retour, nouvelles hémoptysies, grandes crises d'étouffement, qu'on soigne avec de la glace et des saignées. La jeune femme, Alexandrine, devient très inquiète. Elle pensait au début à une maladie de jeunesse qui passerait avec l'âge : « Lorsqu'il aura atteint ce bienheureux âge de trente ans,... alors il sera beau et fort. »

Ce qui frappe, pendant cette période de plusieurs années de crises graves et fréquentes, c'est l'indifférence de cette jeune femme, très intelligente et instruite, non pas tant aux manifestations de la maladie (les étouffements, les hémoptysies, les fièvres) qu'au diagnostic médical. On parlait d'*inflammation*, très vaguement. C'est seulement en mars 1836, trois mois avant la fin, qu'on voit naître chez elle, et s'exprimer, le désir de connaître la *cause* de cette longue suite de souffrances. « Je demandais avec une sorte d'impatience quel était le nom de cette horrible maladie. Phtisie pulmonaire, me répondit enfin Fernand [son beau-frère]. Alors je sentis tout espoir m'abandonner. » Comme si on prononçait aujourd'hui le nom de cancer. Mais, si la phtisie paraissait alors aussi mortelle que le cancer aujourd'hui, ni le malade ni la famille n'éprouvaient le moins du monde le souci de connaître la nature du mal. Il n'y avait pas obsession du diagnostic, non pas par peur du résultat, mais par indifférence à la particularité de la maladie, à son caractère scientifique. On souffrait, on se faisait soigner par le médecin et le chirurgien (la saignée), mais on ne leur demandait aucune information, même si on pouvait raisonnablement déduire du diagnostic l'évolution du mal. Il fallait un grand effort pour faire entrer le concept d'une maladie donnée comme la phtisie dans son univers mental.

Alexandrine sait maintenant qu'Albert est condamné à

brève écnéance. Son premier mouvement est de cacher la vérité au malade : attitude relativement nouvelle, qu'on n'aurait pas eue au XVIIIe siècle, et encore moins au XVIIe. « J'étouffe de ce secret entre nous et, quelque déchirant que ce fût, je crois que souvent je préférerais lui parler ouvertement de sa mort et tâcher de nous en consoler mutuellement par la foi, l'amour et l'espérance. » L'aggravation rapide de l'état d'Albert rend vite cette comédie inutile. Albert, qui a toujours songé à la mort, ne se fait aucune illusion. Il veut mourir en France. Commence alors un terrible voyage : 10 avril 1836, départ de Venise; 13 avril, arrêt à Vérone; 22 avril, arrêt à Gênes; 13 mai, arrivée à Paris. C'est seulement à ce moment que le médecin informe Alexandrine du risque de contagion qu'elle court : « Il y avait pour moi un danger mortel à dormir dans la même chambre qu'Albert. » Il était bien temps! On croyait que c'était la fin. En réalité, il vécut encore quelques semaines. Le 27 juin, on célèbre la messe dans sa chambre (le futur Mgr Dupanloup). Il reçoit l'extrême-onction, dans la chambre pleine de monde. Après la cérémonie, il fait un signe de croix sur le front du prêtre, puis sur sa femme, ses parents, ses frères et sœurs, ses amis (Montalembert). « Il fit signe à la sœur [infirmière] de s'approcher, ne voulant pas l'oublier dans ce tendre et général *adieu*, mais, toujours avec son délicieux sentiment de tout ce qui se doit, il lui baisa la main, cette main qui le soignait, pour l'en remercier. » Mais la mort se fait attendre — le 28 juin une dernière absolution. Des échanges de tendresse avec sa femme. Vint la nuit du 28 au 29. « On le changea de place (il tenait le crucifix). On lui plaça la tête en face du soleil levant. » Il s'était endormi « dans les bras de sa femme ». Il se réveille et parle « d'une manière très naturelle ». « A six heures (il était alors placé dans un fauteuil près de la fenêtre ouverte), je vis, j'entendis que le moment était venu. » La sœur récita la prière des agonisants. « Les yeux déjà fixes s'étaient tournés vers moi. » Tout est fini. Il avait vingt-quatre ans.

Sa sœur Olga mourut, toujours de la tuberculose, en 1843, à vingt-et-un ans. Elle avait vu partir son frère Albert en 1836, sa sœur Eugénie (comtesse de Mun) en 1842. Elle était à

Bruxelles, chez la seule fille qui survivra, Pauline Craven. « Je suis faible, je tousse, j'ai mon point de côté. » « J'ai pris la résolution d'agir comme si je savais que je dusse mourir de cette maladie, de m'habituer à regarder la mort sans crainte. » Pourtant le médecin essayait de l'entretenir dans l'illusion : « Le médecin dit que je serai guérie au printemps » (2 janvier 1843). Mais elle n'est pas dupe et on n'insiste pas. Dans sa correspondance, pas une fois elle ne nomme la maladie : cela ne l'intéresse pas, c'est affaire de spécialistes.

Les souffrances augmentent. Messe dans la chambre — extrême-onction — le 10 février est le dernier jour. Sa sœur Pauline écrit : « Il est midi. Dès les premiers moments de défaillance et de suffocation, elle a demandé un prêtre, puis elle a regardé avec anxiété vers la porte pour voir si ses frères venaient. » L'*adieu* est un acte essentiel de la cérémonie de la mort. « M. Slevin [le prêtre] au bout de quelques instants a commencé les prières des agonisants. Olga a croisé les bras sur sa poitrine, disant d'une voix basse et fervente : 'Je crois, j'aime, j'espère, je me repens'. Puis 'pardon tous, Dieu vous bénisse tous'. Un moment après, elle a dit : 'Je laisse ma Vierge à Adrien' [le mari de sa sœur morte] en jetant les yeux sur la Vierge de Sasso Ferrato suspendue près de son lit, puis, voyant là ses frères, elle a appelé Charles d'abord, l'a embrassé, en lui disant : 'Aime Dieu, sois bon, je t'en prie.' Les mêmes paroles à peu près à Fernand avec encore plus d'insistance [il devait être un peu coureur], en y ajoutant des mots d'adieu pour les Mariskin [ses amies très chères]. Elle a embrassé Marie, Emma à laquelle elle a dit quelques mots à voix basse, puis elle a dit 'Merci, pauvre Justine' [la femme de chambre qui la soignait]. » Chacun a droit à un mot personnel de cette agonisante de vingt ans ! « Puis, enfin, elle s'est tournée vers sa mère pour qui elle semblait vouloir garder son dernier baiser. »

J'ai choisi ces textes parce qu'ils sont des récits réels, écrits par une sœur présente à une autre sœur absente. C'est à la fois la mort banale et la mort modèle de l'époque romantique.

On trouvera de nombreuses descriptions, identiques, dans les romans du temps, dans ceux de Balzac en particulier. Cependant, ce n'était pas la mort de tout le monde, ce n'était pas la mort populaire. Celle-ci restait plus simple et familière, comme elle avait été pendant des siècles, sinon des millénaires. Le « médecin de campagne » de Balzac amène son visiteur dans une maison très simple de la campagne où le père de famille vient de mourir : « A la porte de cette maison [le cercueil était toujours autrefois exposé devant ou sous la porte] [...], ils aperçurent un cercueil couvert d'un drap noir, posé sur deux chaises au milieu de quatre cierges, puis sur un escabeau un plateau de cuivre où trempait un rameau de buis dans de l'eau bénite. Chaque passant entrait dans la cour, venait s'agenouiller devant le corps, disant un *Pater* et jetant quelques gouttes d'eau bénite sur la bière. » Le fils aîné du mort, jeune paysan de vingt-deux ans, était debout, immobile, il pleurait. Mais la mort ne suspendait pas ici les gestes de la vie. Une voisine profitait des condoléances pour acheter son lait à la veuve : « Ayez du courage, consolez-vous, ma voisine. » « Oh ma chère femme, répliquait la veuve, quand on est resté vingt-cinq ans avec un homme [c'était alors très long], il est bien dur de se quitter, et ses yeux se mouillaient de larmes. » « Faut bien aller tout de même, poursuit-elle en pleurant, je me dis que mon homme ne souffrira plus. Il a tant souffert! » Mais M. Benassis, le médecin, ou plutôt Balzac à qui il sert de porte-parole, n'est pas très satisfait. Les larmes, les regrets, les condoléances, qui ont aujourd'hui disparu de nos usages, ne lui suffisent pas. Il préférerait des manifestations plus démonstratives : « Vous le voyez, dit le médecin, ici la mort est prise comme un accident prévu qui n'arrête pas la vie des familles. » Cette observation, un peu amère, nous permet de comprendre que l'image de la mort exaltée n'était pas très ancienne. Elle correspondait au modèle moral, esthétique et social du romantisme. Celui-ci comprenait bien le rituel traditionnel de la mort : adieu aux survivants, confession religieuse, caractère public de l'agonie, du deuil, tel qu'il demeurait dans les classes populaires. Mais il y ajoutait une dramatisation et une sentimentalité nouvelles : la mort était devenue, ce qu'elle n'était pas, le lieu du déchirement et aussi de l'affirmation des grandes affections et des grandes amours. Les sentiments les plus chers s'y exprimaient une dernière fois avec la plus grande véhémence. C'est pourquoi la scène des adieux, qui avait toujours existé, a pris au XIXe siècle une importance inouïe, que notre sensibilité d'aujourd'hui ne manquera pas de trouver démesurée et morbide.

Entre cette complaisance à la mort de la première moitié du XIXe siècle et l'interdit actuel de la mort *(repressed death)*, il existe une étape intermédiaire, qui est bien analysée par une œuvre de Tolstoï de 1886 : *la Mort d'Ivan Ilitch.* Cette œuvre célèbre a provoqué les commentaires des penseurs contemporains qui se sont penchés sur l'énigme de la mort aujourd'hui, comme Heidegger. Les idées de Tolstoï étaient esquissées dans une nouvelle plus ancienne, de 1859 : *les Trois Morts.* Nous allons lire à notre tour, et à notre manière historienne, ce remarquable document, qu'il faudra sans cesse comparer aux lettres de la famille La Ferronays, au roman de Balzac, antérieurs d'une cinquantaine d'années.

Ivan Ilitch est un bourgeois russe très victorien, obsédé par des idées de convenance, de respectabilité, de situation sociale; un haut fonctionnaire très « comme il faut ». Nous le rencontrons après dix-sept ans de mariage, à quarante-cinq ans. Un mariage sans bonheur — quatre enfants dont trois sont morts en bas âge —, « existence facile, agréable, joyeuse, toujours correcte, approuvée par la société ».

Dans cette vie médiocre et banale, la maladie apparaît un jour : symptômes d'abord légers, qui s'aggravent rapidement, mais progressivement, et cette progressivité est bien soulignée. Consultation de médecins. Nous sommes loin de Balzac et des La Ferronays, où les personnes mouraient d'un mal anonyme et vague qu'on ne se préoccupait pas de définir, ni de nommer. Tout à fait au début, Ivan ressent encore ce malaise existentiel global : « Il conclut du résumé du docteur que cela allait mal; pour le docteur, pour tout le monde peut-être, cela n'avait pas d'importance [parce que ce qui importait pour le médecin et pour tout le monde était d'abord le diagnostic], mais pour lui personnellement cela allait fort mal. » Il s'agissait encore de sa vie. Mais ce sentiment de sa mort-vie va s'effacer au profit de la seule préoccupation dominante des médecins : le diagnostic. Le phénomène nouveau et remarquable est le suivant : le grand malade est retiré à son angoisse existentielle et il est mis en condition par la maladie et la médecine, et il s'habituera à ne plus penser clairement comme un individu menacé, mais à penser comme les médecins : « La vie d'Ivan Ilitch n'était pas en cause, mais il s'agissait d'un débat entre le rein flottant et l'appendicite. » Désormais, Ivan Ilitch sort du cycle vital, familier, source de résignation, ou d'illusion, ou d'anxiété, qui avait été depuis toujours celui de tous les grands malades, assimilés normalement à des mourants. Il entre dans le cycle médical. « Depuis sa visite au docteur, le principal souci d'Ivan Ilitch était de suivre strictement ses recommandations concernant l'hygiène et les médicaments, et d'observer attentivement, c'est-à-dire objectivement, cliniquement, sa douleur et toutes les fonctions de son organisme. Les intérêts d'I. I. se concentrent sur les maladies et la santé. »

Mais la médecine de Tolstoï n'est pas plus efficace que celle de Balzac ou des La Ferronays : le mal s'aggrave. Alors apparaît le second caractère, également nouveau, de l'attitude devant la maladie grave, ou la mort : la rupture des communications avec l'entourage, l'isolement où le malade commence à s'enfermer. Tout le monde, y compris lui-même, joue à l'optimisme. Sa femme fait semblant de croire qu'il est malade parce qu'il ne se soigne pas bien, ne suit pas son régime, ne prend pas bien ses médicaments. « Ses amis se mettaient à railler ses craintes, comme si cette chose atroce..., inouïe, qui s'était installée en lui... n'était qu'un amusant sujet de plaisanterie. » Sans doute, dans ce cas-ci, c'est l'indifférence qui inspire à ces bourgeois égoïstes cette conduite : mais l'affection, la tendresse aboutiraient aussi au même résultat, car l'important est de permettre au malade — et à son entourage — de *garder le moral.* C'est aussi le début d'un comportement nouveau à l'égard du malade, traité gentiment comme un enfant, qu'on gronde parce qu'il oublie de prendre ses médicaments. Il est peu à peu dépouillé de sa responsabilité, de sa capacité à réfléchir, à observer, à décider, il est condamné à la puérilité.

Il y a encore un autre motif au refus des uns et des autres d'avouer la gravité du mal : l'*inconvenance* de la souffrance, de la maladie — mais pas encore de la mort elle-même qui résiste — dans la société victorienne. Quelques dizaines d'années après les morts La Ferronays, les odeurs de la mort, le pot de chambre du grand malade sont devenus des inconvenances. « L'acte atroce de son agonie était rabaissé par son entourage, il le voyait bien [cela se passe un peu plus tard], au niveau d'un simple désagrément, d'une inconvenance presque, à peu près comme on agit envers un homme qui répand une mauvaise odeur en entrant dans un salon, et cela au nom de cette même correction qu'il avait servie toute son existence. »

C'est que peu à peu on en est arrivé à l'opium, à la morphine. Ivan Ilitch est devenu un malade dégoûtant. Alors, il se passe quelque chose d'extraordinaire qui va tout changer. Un jour il surprend par hasard une conversation entre sa femme et son beau-frère. « Ne vois-tu pas, dit brutalement le beau-frère, qu'il est mort. » Alors il découvre que le mal qui le ronge n'est pas la maladie des médecins, mais la mort. « Le rein, l'appendice, non, il ne s'agit pas de cela, mais de la vie... et de la mort. Pourquoi me mentir à moi-même. N'est-il pas évident pour tout le monde et [maintenant, seulement maintenant] pour moi que je meurs? » C'est la rencontre vraie avec la mort : vraie et solitaire; la solitude au milieu du mensonge des siens, sauf du jeune moujik qui le saigne. « Le principal tourment d'Ivan Ilitch était le mensonge, ce mensonge admis on ne sait pourquoi par tous, qu'il n'était que malade et non pas mourant et qu'il n'avait qu'à rester calme et se soigner pour que tout s'arrangeât. Tandis que, il le savait bien, quoi qu'on fît, on n'aboutirait qu'à des souffrances encore plus terribles et à la mort. Et ce mensonge le tourmentait. Il souffrait de ce qu'on ne voulût pas admettre ce que tous voyaient fort bien, ainsi que lui-même, de ce qu'on mentît en l'obligeant lui-même à prendre part à cette tromperie. Ce mensonge qu'on commettait à son sujet; la veille de sa mort, ce mensonge *qui rabaissait l'acte formidable et solennel de sa mort* au niveau de leur vie sociale, était atrocement pénible à Ivan Ilitch. » Et le mensonge persiste après une grande consultation de spécialistes éminents, malgré l'aggravation du cas. « Tout le monde avait peur de dissiper soudain le mensonge correct et de faire ainsi apparaître clairement la réalité. »

Un jour enfin, I. I. se révolte. Il se retourne contre le mur, attitude dénoncée par des sociologues américains (B. G. Glaser et A. L. Strauss) comme celle du mourant peu coopératif, qui refuse de communiquer avec le personnel médical. Il envoie promener sa femme qui lui parle de remède : « Laissez-moi mourir en paix. » Il ne se donne plus la peine de retenir ses plaintes. Il a vaincu le mensonge, oublié les convenances. Je crains bien que ce soit l'*embarrassingly graceless dying*, dont Glaser et Strauss nous disent qu'elle est redoutée par les équipes soignantes des hôpitaux.

On ne peut pas ne pas être frappé, d'une part, par la différence entre Tolstoï et Balzac, La Ferronays et, d'autre part, par la ressemblance entre le même Tolstoï et les analyses les plus récentes de la mort à l'hôpital.

Il existe toutefois deux différences notables entre la mort de Tolstoï et celle d'aujourd'hui. La ressemblance existe seulement pendant le temps de la maladie grave jusqu'au début de l'agonie. Elle s'arrête là, et on hésite encore au dernier moment à priver tout à fait le mourant de sa mort : on la lui abandonne le plus tard possible. Mais on considère toujours à la fin qu'elle lui appartient comme un droit et un privilège. Au moment des obsèques, un ami demande à la veuve d'Ivan Ilitch s'il avait gardé sa connaissance. « Oui, jusqu'au dernier instant, murmure-t-elle. Il nous fit ses adieux un quart d'heure avant la fin et demanda même de faire sortir Vladimir [son fils] ». Nous souhaiterions aujourd'hui pouvoir dire : il ne s'est pas vu mourir.

L'autre différence est que les rites des funérailles et du deuil ont conservé toute leur nécessité et leur publicité. Il n'y a sur ce point rien de changé à la fin du XIXe siècle.

En dépit de ces deux réserves importantes, on peut dire qu'une partie du modèle contemporain de la mort est déjà esquissée dans les bourgeoisies de la fin du XIXe siècle : en particulier, la répugnance croissante à admettre ouvertement la mort — sa mort et celle de l'autre —, l'isolement moral imposé au mourant par cette répugnance elle-même et l'absence de communication qui en résulte — enfin la médicalisation du sentiment de la mort.

Il est assez remarquable que les principaux constituants (mais pas tous) de l'interdit sur la mort sont mis en place à une époque qui était encore ascétique et moralement répressive. La relation, aujourd'hui souvent admise, entre l'interdit sur la mort et l'hédonisme ou le droit absolu au bien-être physique n'est pas absolument évidente. Une autre relation apparaît avec un nouveau système de convenances (celui de la bourgeoisie victorienne) très différent de celui de l'Ancien Régime, avec un nouveau type de sensibilité et de relations à l'autre, et, enfin, avec le début de médicalisation de l'idée qu'on se fait de la vie, c'est-à-dire avec l'invasion des techniques de la vie.

C'est sans doute les progrès de cette médicalisation qu'il faudrait suivre tout au long du XXe siècle, jusqu'à nos jours. Le livre d'Ivan Illich, *Némésis médicale*[1], pose la question d'une manière qui paraîtra polémique à beaucoup de médecins. La question doit cependant être posée, et sérieusement posée. Le recueil de textes des La Ferronays, des années 1830, comporte deux volumes in-8° à peu près entièrement consacrés aux morts de cette famille décimée. Le médecin y est à peu près complètement absent. Dans Balzac à la même époque il existe. Non seulement le « médecin de campagne », le notable, mais le grand médecin de Paris, qu'on va chercher quand tout va mal pour une dernière consultation. Ces médecins ne guérissaient pas. Ils imposaient une hygiène publique et privée, comme leurs prédécesseurs du XVIIIe siècle. Ils allégeaient les

1. Ivan Illich, *Némésis médicale*, Paris, Éd. du Seuil, 1975.

souffrances, par exemple en enveloppant d'opium le corps douloureux des riches agonisants. Mais surtout ils avaient une fonction morale qu'ils partageaient avec le prêtre. Leur art ne coïncidait pas, aux yeux de Balzac, avec la science de la maladie — cette maladie qui n'intéresse ni le romancier ni le patient ni la famille.

Avec l'Ivan Ilitch de Tolstoï, un demi-siècle plus tard, la maladie a gagné la première place, la maladie, mais pas le médecin. Le médecin exerce une influence nouvelle d'initiateur au monde spécialisé de la maladie. Cette influence est celle du modèle sur son imitateur. Il n'exerce pas le *pouvoir.* Celui-ci est encore détenu un peu par Ivan Ilitch, et beaucoup par sa famille.

Le grand événement ne sera-t-il pas la substitution du médecin à la famille, la prise du pouvoir par le médecin, et pas par n'importe quel type de médecin, par le médecin d'hôpital? L'ancien médecin de famille, celui de Balzac, était, avec le prêtre et la famille, l'assistant du mourant. Son successeur, le médecin généraliste, s'est éloigné de la mort. Sauf cas d'accidents, il ne la connaît plus : celle-ci s'est déplacée de la chambre du malade où il n'est plus appelé à l'hôpital où échouent désormais tous les grands malades en danger de mort. Et à l'hôpital le médecin est à la fois un homme de science et un homme de pouvoir, un pouvoir qu'il exerce seul.

Je voudrais, en guise non pas de conclusion, mais de *terminus ad quem*, citer ce récit plus récent d'une mort en 1973. Il s'agit d'un père jésuite, le P. François de Dainville, un excellent historien de l'humanisme chrétien, bien connu de tous ceux qui s'intéressent à l'histoire de l'éducation, de la géographie, de la cartographie au XVIe et au XVIIe siècle.

« Atteint de leucémie, parfaitement conscient de son état et voyant approcher sa mort avec courage, lucidité et calme, il collabora avec le personnel de l'hôpital où il fut envoyé. Il avait été convenu avec le professeur qui le soignait, compte tenu de l'état désespéré du malade, que nul traitement 'lourd' ne serait entrepris pour le faire survivre. *Durant un week-end, voyant le mal s'aggraver, un interne le fit transporter dans un autre hôpital, en service de réanimation* [le *pouvoir*]. Là, ce fut terrifiant. La dernière fois que je le vis, à travers la vitre d'une chambre aseptisée et ne pouvant lui parler que par interphone, il gisait sur un lit chariot, avec deux tubes inhalatoires dans les narines, et un tube expiratoire qui fermait la bouche, je ne sais quel appareil pour lui soutenir le cœur, un bras sous perfusion, l'autre sous transfusion, et à la jambe la prise du rein artificiel. 'Je sais que vous ne pouvez pas parler... Je reste là à veiller quelques instants avec vous...' Alors j'ai vu le P. de Dainville tirer sur ses bras attachés, arracher son masque expiratoire. Il me dit ce qui furent, je crois, ses derniers mots avant de sombrer dans le coma : 'On me frustre de ma mort[1]. » Ce sera ma conclusion.

1. Ce récit est dû à l'un de ses confrères, B. Ribes, « Éthique, science et mort », *Études*, nov. 1974, p. 494.

10

« *Time for Dying* »[1]

Au train dont vont les choses, il est sûr que tout se passe comme si nous oubliions comment on mourait il y a encore quelque trente ans. Dans nos pays de civilisation occidentale cela se passait très simplement. D'abord, le sentiment (plutôt que le pressentiment) que l'heure était venue : « Un riche laboureur *sentant* sa mort prochaine... » Ou bien un vieillard : « Enfin se *sentant* près de terminer ses jours... » Un sentiment qui ne trompait jamais : chacun était soi-même le premier averti de sa mort. Le premier acte d'un rituel familier. Le second était rempli par la cérémonie publique des adieux, que le mourant devait présider : « Fit venir ses enfants, leur parla sans témoin... » ou, au contraire, devant témoin : l'essentiel était qu'il dît quelque chose, qu'il fît son testament, qu'il réparât ses torts, demandât pardon, exprimât ses dernières volontés et enfin prît congé. « Il prend à tous les mains, il meurt. »

C'est tout. Voilà comment cela se passait normalement. Il convenait que le mourant mourût sans hâte, mais aussi sans lenteur, pour que la scène des adieux ne fût ni escamotée, ni prolongée. La physiologie et la médecine respectaient le plus souvent la durée moyenne réclamée par l'usage. Celui-ci n'était donc dérangé que dans des cas exceptionnels : la mort subite et « improvisée » *(a subitanea et improvisa morte, libera nos, Domine)*; la tricherie du mourant qui refusait de reconnaître les signes toujours clairs de la fin (pratique dénoncée

1. B. G. Glaser et A. L. Strauss, *Time for Dying*, Chicago, Aldine, 1968; nous avons rendu compte de cet ouvrage dans la *Revue française de sociologie*, 10 (3), 1969.

et ridiculisée par les moralistes ou les satiriques); une irrégularité de la nature, quand le mourant n'en finissait pas de mourir.

On s'aperçoit aujourd'hui que ces cas, jadis rares et aberrants, sont devenus désormais des modèles. On doit mourir comme autrefois il ne fallait pas mourir. Mais qui décide de la coutume? Premièrement, les maîtres du nouveau domaine de la mort et de ses mouvantes frontières, le personnel de l'hôpital, médecins et infirmières, toujours assurés de la complicité de la famille et de la société.

Comment convient-il donc de mourir dans notre société? C'est ce qu'une équipe de sociologues américains recherche dans la pratique quotidienne des hôpitaux des deux mondes et surtout du nouveau (Californie) : B. G. Glaser et A. L. Strauss. Dans un précédent livre déjà cité : *Awareness of Dying*, ces auteurs avaient montré comment, dans les sociétés industrielles, le mourant ne sentait plus la mort venir : il n'était plus le premier à déchiffrer les signes, ceux-ci lui étaient désormais cachés; médecins et infirmières, qui seuls savaient, ne l'avertissaient pas, sauf cas exceptionnels dont on discute. Le mourant est devenu celui qui ne doit pas savoir.

Mais saurait-il qu'il va mourir, ni lui ni parfois les médecins ne savent quand, ni dans combien de temps; le moment peut être déjà presque arrivé — coma après un accident de la route : *mors subitanea et improvisa* — ou prévu dans plusieurs jours, plusieurs semaines. Le temps du mourir : *Time for Dying*, est le sujet de l'autre livre de Glaser et Strauss.

L'attitude devant la mort a été changée non seulement par l'aliénation du mourant, mais par la variabilité de la durée de la mort; celle-ci n'a plus sa belle régularité d'autrefois : les quelques heures qui séparaient les premiers avertissements des derniers adieux. Les progrès de la médecine ne cessent de l'allonger. Dans certaines limites, on peut d'ailleurs la raccourcir ou l'étendre : cela dépend de la volonté du médecin, de l'équipement de l'hôpital, de la richesse de la famille ou de l'État.

Mors certa, hora incerta, croyait-on jadis; aujourd'hui, l'homme assuré d'une bonne santé vit réellement comme s'il n'était pas mortel : Caïus sans doute, mais pas lui. En revanche s'il tombe malade, le personnel hospitalier le situe par rapport à sa mort, quand celle-ci est certaine. Le malade est entretenu dans l'illusion de la *mors incerta*, mais le personnel hospitalier prévoit bien l'heure certaine, et il établit, à la suite du diagnostic, la *dying trajectory*, comme disent les auteurs. Si la *dying trajectory* a été bien définie, il suffit au malade de s'y conformer, et alors tout ira bien, c'est-à-dire que l'équilibre moral du milieu hospitalier ne sera pas troublé. Il y aura au contraire état de crise, c'est-à-dire émotion perturbatrice à l'hôpital, si le malade a la mauvaise grâce de mourir autrement qu'il a été prévu, soit par une ruse de la nature, soit par sa faute quand il trompe la surveillance et détruit volontairement l'appareil savant qui le prolonge contre son gré.

Cependant, les auteurs reconnaissent que, même si la *dying trajectory* est scrupuleusement observée, la mort n'arrive pas à l'heure prévue — *hora certa* — sans compromettre la dignité du mourant, pauvre chose hérissée de tubes, sans heurter la sensibilité d'une famille épuisée par l'attente, et, à la fin, sans démoraliser infirmiers et médecins. Le mourant n'est plus qu'un objet privé de volonté et souvent de conscience mais un objet bouleversant, et d'autant plus bouleversant que l'émotion n'est pas avouée. Car si le personnel hospitalier sait bien l'heure de la mort, il ne la dit pas. D'après nos auteurs, médecins et infirmiers n'en parleraient entre eux qu'à demi-mot, par allusion, comme s'ils avaient peur d'être compris : *hora certa, sed tacita.*

La mort a reculé et elle a quitté la maison pour l'hôpital : elle est absente du monde familier de chaque jour. L'homme d'aujourd'hui, faute de la voir assez souvent et de près, l'a oubliée : elle est devenue sauvage, et, malgré l'appareil scientifique qui l'habille, elle trouble plus l'hôpital, lieu de raison et de technique, que la chambre de la maison, lieu des habitudes de la vie quotidienne.

Une meilleure information psychosociologique permettra-t-elle au personnel médical de domestiquer la mort, de l'enfermer dans un nouveau rituel, inspiré par le progrès des sciences humaines? Les auteurs le pensent très sérieusement.

11

« *The Dying Patient* »[1]

Un caractère significatif des sociétés les plus industrialisées est que la mort y a pris la place de la sexualité comme interdit majeur. C'est un phénomène récent et très récemment découvert.

Jusqu'au début du XXe siècle, la place reconnue à la mort, l'attitude devant la mort, étaient à peu près les mêmes dans toute l'étendue de la civilisation occidentale. Cette unité a été rompue après la Première Guerre mondiale. Les attitudes traditionnelles ont été abandonnées par les États-Unis et par l'Europe industrielle du Nord-Ouest; elles ont été remplacées par un modèle nouveau d'où la mort avait été comme évacuée. En revanche, les pays à prépondérance rurale, qui étaient aussi souvent catholiques, leur sont restés fidèles. Depuis une décennie, nous voyons le modèle nouveau s'étendre à la France, en commençant par la classe intellectuelle et la bourgeoisie : il est en train de gagner les classes moyennes, malgré des résistances venues des couches populaires [2].

On aurait donc pu, il y a quelques années, prévoir que le mouvement était irrésistible, commandé par les progrès de l'industrialisation, de l'urbanisation, de la rationalité. L'interdit de la mort paraissait solidaire de la modernité. On en doute

1. *The Dying Patient*, ouvrage collectif sous la direction d'Orville G. Brim, New York, Russel Sage Foundation, 1970; nous avons rendu compte de cet ouvrage dans la *Revue française de sociologie*, vol. XIV, nº 1, janv.-mars 1973, p. 125-128, sous le titre « La mort et le mourant dans notre civilisation ».

2. P. Ariès, « La vie et la mort chez les Français d'aujourd'hui », *Ethno-psychologie*, mars 1972 (27e année), p. 39-44; voir cet article *supra*, p. 169.

aujourd'hui, ou tout au moins il apparaît que l'évolution est moins simple, qu'elle est compliquée par la conscience même qu'on commence à en prendre.

Cette prise de conscience s'est fait attendre. Pendant le dernier demi-siècle, les historiens, les spécialistes des nouvelles sciences de l'homme ont été complices de leur propre société : ils se sont dérobés, autant que l'homme quelconque, à une réflexion sur la mort. Le silence a été rompu pour la première fois, avec éclat, par l'ethnologue Geoffrey Gorer dans une étude au titre provoquant [1], puis dans un livre [2] qui révélait au public l'existence d'un trait profond, et jusqu'alors soigneusement caché, de la culture moderne.

En réalité, l'œuvre de Gorer était aussi le signe d'un changement dans cette culture. Tant que l'interdit de la mort avait été spontanément accepté, il avait aussi échappé à l'observation des hommes de science, des ethnologues, des sociologues, des psychologues, comme s'il allait de soi, comme une banalité qui ne valait pas qu'on lui fasse un sort. Sans doute est-il devenu un sujet d'étude juste au moment où il commençait à faire question.

L'œuvre de Gorer est à l'origine d'une littérature abondante, à laquelle appartient *The Dying Patient :* ce livre collectif contient d'ailleurs *in fine* une bibliographie de 340 titres postérieurs à 1955 et surtout à 1959, date du livre pionnier de H. Feifel [3]. Cette bibliographie, qui se limite aux publications de langue anglaise de sociologie, de psychologie, d'ethnologie et de psychiatrie, et qui laisse de côté tout ce qui concerne les funérailles, les cimetières, le deuil, le suicide, sera peut-être utile au chercheur français. Elle est d'abord un témoignage à la fois de l'intérêt porté désormais en Amérique au problème de la mort et d'une certaine contestation d'un modèle qu'on croyait imposé par la modernité.

Nous serions bien en peine d'en faire autant pour les publications de langue française, malgré l'avance de l'historiogra-

1. G. Gorer, « The Pornography of Death », *loc. cit.*
2. Id., *loc. cit.*
3. H. Feifel, *op. cit.*

phie française dans les études de mentalité : on en aurait vite fini avec quelques titres [1], et cette pénurie est, elle aussi, significative. Sans doute sommes-nous encore au creux de l'interdit. La contestation a donc commencé aux États-Unis et par les intellectuels : des ethnologues, des psychologues, des sociologues et même des médecins. On remarquera le double silence des hommes d'Église, qui avaient autrefois le quasi-monopole de la mort et du discours sur la mort, et des hommes politiques.

Nous savons cependant qu'aux États-Unis cette contestation n'est plus limitée aux intellectuels. Passe encore pour le livre d'humeur de Jessica Mitford, *The American Way of Death*, qui peut être interprété comme une réaction d'intellectuel contre le « rêve de l'Amérique ». Mais nous apprenons aujourd'hui que le président Nixon a reçu à la Maison Blanche une délégation venue défendre le droit pour chaque homme de choisir sa propre mort, à partir d'un certain âge. Il y a quelque chose de changé. Les signes anciens de la mort, squelettes hideux ou gisants sereins, avaient été une bonne fois chassés du monde moderne. Mais voici que la mort reparaît sous l'aspect aussi insolite du grabataire hérissé de tubes et d'aiguilles, condamné à des mois et des années d'une vie inférieure.

The Dying Patient est un recueil de quatorze études inégales, dont aucune ne va vraiment au fond. Son but est de sensibiliser le monde des hôpitaux, des asiles, des médecins, à la grande misère des morts solitaires et négligés : un but pratique. Sa valeur sociologique et scientifique me paraît plutôt mince, faute d'un effort suffisant pour élargir le sujet et en proposer une théorie. En revanche, sa valeur de document est grande : un excellent témoignage sur l'attitude actuelle, devant la mort, de la société américaine, ou, du moins, de sa classe intellectuelle : un document qu'il faut lire en prenant garde à ce qu'il écarte autant qu'à ce qu'il retient.

Dans le modèle que leur présente la société américaine et

1. Notons la réédition récente de l'ouvrage d'Edgar Morin, *l'Homme et la Mort*, *op. cit.*, et le livre de J. Potel, *Mort à voir, mort à vendre*, Paris, Desclée, 1970.

que caractérise l'interdit de la mort, les auteurs distinguent une part qu'ils acceptent : *the death*, et une part qu'ils contestent : *the dying*. Cette distinction est très importante.

Il ne reste donc plus rien chez eux des réserves de Gorer et de Mitford à l'égard de l'*American Way of Death*. Ils sont satisfaits de la manière dont la société américaine assume la disparition physique des morts : la préparation des corps par les *morticians*, l'exposition dans les *funeral homes*, les services religieux pour la consolation des survivants. Il faut reconnaître que la situation américaine est originale : les rites des funérailles y sont un compromis entre, d'une part, les manifestations solennelles et traditionnelles de l'incertitude de la vie, de l'espoir eschatologique, de la douleur (deuil) des survivants, et, d'autre part, l'expédition discrète et sommaire du corps comme elle est maintenant pratiquée dans les sociétés les plus développées de l'Europe industrielle.

Ce compromis conserve l'adieu public des vivants au mort (ailleurs souvent supprimé, en Angleterre, en Hollande...), et, cependant, respecte aussi l'interdit qui pèse sur la mort. Celui qu'on visite dans les *funeral parlors* n'est pas un vrai mort, qui présente les signes de la mort : il est un presque-vivant, que les *morticians* ont maquillé et disposé pour qu'il donne encore l'illusion de la vie.

Pour nos auteurs, cette situation est satisfaisante; ils admettent donc que la société américaine a bien résolu les problèmes psychologiques et sentimentaux soulevés par les funérailles et le deuil, et trouvé des formules qui répondaient aux inquiétudes des hommes d'aujourd'hui et réussissaient à les apaiser. La société dans sa sagesse a produit des moyens efficaces de se protéger des tragédies quotidiennes de la mort, afin d'être libre de poursuivre ses tâches sans émotions ni obstacles.

Une fois mort, tout va donc bien dans le meilleur des mondes. En revanche, il est difficile de mourir. La société prolonge le plus longtemps possible les malades, mais elle ne les aide pas à mourir. A partir du moment où elle ne peut plus les maintenir, elle y renonce — *technical failure, business lost* — ils ne sont plus que les témoins honteux de sa défaite. On essaie d'abord de ne pas les traiter comme des mourants authentiques et reconnus, et ensuite on se dépêche de les oublier — ou de faire semblant.

Certes, il n'a jamais été vraiment facile de mourir, mais les sociétés traditionnelles avaient l'habitude d'entourer le mourant et de recevoir ses communications jusqu'à son dernier souffle. Aujourd'hui, dans les hôpitaux et les cliniques en particulier, on ne communique plus avec le mourant. Il n'est plus écouté comme un être de raison, il est seulement observé comme un sujet clinique, isolé quand on peut, comme un mauvais exemple, et traité comme un enfant irresponsable dont la parole n'a ni sens, ni autorité. Sans doute bénéficie-t-il d'une assistance technique plus efficace que la compagnie fatigante des parents et des voisins. Mais il est devenu, quoique bien soigné et longtemps conservé, une chose solitaire et humiliée.

Les mourants n'ont plus de statut et par conséquent plus de dignité. Ils sont des clandestins, *marginal men*, dont on commence à deviner la détresse. C'est l'avantage des sciences humaines d'avoir révélé cette détresse malgré le silence des médecins, des ecclésiastiques, des politiques.

Pour expliquer ce changement, nos auteurs font appel à deux séries de faits de mentalité : tout d'abord historiques, ensuite prospectifs.

Faits historiques

Le mourant n'a plus de statut parce qu'il n'a plus de valeur sociale : c'est pourquoi les *death bed pronouncements* ne sont plus pris au sérieux. Autrefois le mourant gardait sa valeur jusqu'au bout et même au-delà puisqu'il l'emportait avec lui dans une vie future à laquelle on croyait. La diminution des croyances religieuses et, dans les religions de salut, l'effacement de l'eschatologie auraient enlevé toute crédibilité aux radotages d'un homme déjà presque annulé. Une telle analyse serait tout à fait convaincante si la seule forme de survie était le Paradis du christianisme ou des religions de salut. En réalité, les choses sont plus compliquées. Déjà, dans la chrétienté du Moyen Age et de la Renaissance, il n'est pas toujours facile de distinguer la survie céleste des bienheureux et la survie assurée sur terre par la gloire, la renommée : l'une et l'autre se mêlent, elles sont solidaires. Or, elles ont *ensemble* à peu près disparu du monde contemporain : on s'est convaincu de la vanité de la renommée au moment où on a commencé aussi à douter de l'éternité. Mais une autre forme de survie a alors relayé celles qui avaient leur racine dans le vieux passé chrétien et païen : elle s'est manifestée au XIXe siècle par le culte, aussi bien laïque que chrétien, des tombeaux et des cimetières, elle exprime un sentiment nouveau qui avait fleuri dans l'épigraphie funéraire romaine, mais avait été ensuite tout à fait oublié pendant un millénaire : le refus de la séparation définitive, le refus de la mort de l'autre [1]. Alors il s'est créé une manière de survie sans surnaturel qui a été décrite admirablement par Vercors [2]. « Tout être cher avec lequel nous avons lié une grande intimité nous imprègne, nous transforme. Sous l'effet d'une émotion particulièrement intense, à la suite d'un décès par exemple, une dichotomie peut se produire, de sorte que le dialogue qui s'instaure alors est bien plus qu'un dialogue illusoire de soi avec soi, mais un vrai dialogue de soi avec l'autre, en tant que l'être aimé... continue de cette façon de vivre et de poursuivre en nous sa vie intellectuelle, affective et sensible, et, pour ainsi dire, de s'y développer encore pour son propre compte. »

En fait l'annulation du mourant s'est faite malgré le désir persistant de conserver sa mémoire et sa présence. Mais ce désir n'est plus reconnu comme légitime et son expression est désormais refusée aux survivants : c'est pourquoi il arrive que leur deuil sans consolation, interdit et refoulé, leur soit mortel.

La véritable raison est l'interdit lui-même, déjà analysé

1. P. Ariès, « Le culte des morts à l'époque moderne », *loc. cit.;* voir cet article *supra*, p. 155.

2. Vercors, *in* Belline, *La Troisième Oreille*, Paris, Laffont, 1972. Résumé par Rola α Jaccard dans *le Monde*, 8 sept. 1972.

par Gorer, Feifel, Glaser et Strauss, mais pas encore expliqué au fond, c'est-à-dire le refus de subir l'émotion physique que provoquent la vue ou l'idée de la mort. On note que, au spectacle, on accepte seulement (jusqu'à présent, mais cela est en train de changer aux États-Unis) les formes de mort violente, qu'on peut encore croire différentes de la fin qui nous est naturellement réservée. Il appartient aux malades de ne jamais éveiller chez les médecins et les infirmières l'insupportable émotion de la mort. Ils seront appréciés dans la mesure où ils auront fait oublier à l'entourage médical (à sa sensibilité et non pas à sa raison) qu'ils vont mourir. Ainsi le rôle du malade ne peut-il être que négatif : celui du *mourant qui fait semblant de ne pas mourir*.

Faits prospectifs

Les raisons historiques analysées ci-dessus ne sont plus tout à fait inédites. Elles commencent même à s'organiser en une sorte de vulgate qui s'ajoute aux autres contestations de la société industrielle. En revanche, des motivations nouvelles apparaissent, inspirées par l'idée qu'on se fait aujourd'hui de l'avenir, et qu'autorisent les greffes d'organe et les victoires probables ou espérées sur le cancer et les maladies de circulation.

Dans cette perspective, qui est plus ou moins admise dès maintenant, il n'y aura plus de morts prématurées. La mort arrivera à la fin d'une longue vie. *Mors certa*, sans doute, mais non plus *hora incerta*. Au contraire, *hora certa et etiam praescripta*.

Alors une alternative : ou bien la prolongation de la vie dans les conditions indignes, humiliantes et honteuses, de la pratique actuelle, ou bien le droit reconnu et réglementé de cesser à un moment cette prolongation. Mais qui décidera, le patient, le médecin ?

Le problème est déjà posé dans les faits. Comme on l'explique dans ce livre, chaque cas est résolu par le médecin en fonction de quatre paramètres : le respect de la vie qui pousse à la prolonger indéfiniment; l'humanité, qui pousse à abréger la souffrance; la considération de l'utilité sociale de l'individu (jeune ou vieux, célèbre ou inconnu, digne ou dégradé), l'intérêt scientifique du cas. La décision résulte du conflit entre ces quatre motivations. Elle est toujours prise *in petto*, sans que le malade y soit associé. La famille elle-même est complice et abandonne, en général, toute volonté entre les mains du médecin-magicien — quitte à se retourner plus tard contre lui.

Il resterait donc à trouver d'une part un statut pour les mourants, d'autre part une règle pour les médecins, maîtres de la vie. On y pense, et ces réflexions amènent peu à peu ceux qui s'y adonnent à retrouver le chemin, pendant un temps effacé, de la mort.

12

Inconscient collectif et idées claires

Serait-ce qu'interdite dans les mœurs quotidiennes de la société postindustrielle la mort devient banale chez les intellectuels (clergé exclu)? Les articles, les livres, les enquêtes se succèdent sur un sujet hier encore honteux et réservé aux Églises. La revue américaine *Psychology Today* a soumis à ses lecteurs un questionnaire sur la mort : elle a reçu 30 000 réponses, dépassant de 10 000 ses meilleurs records. La plus récente de ces manifestations est le colloque pluridisciplinaire organisé à Strasbourg au début d'octobre par le Centre de sociologie protestante de l'université, et son directeur Roger Mehls : « L'évolution de l'image de la mort dans la société et le discours religieux des Églises ». Le mot « évolution » traduit le désir des organisateurs de situer les phénomènes contemporains dans une série historique. D'où l'intervention des historiens [1]. En effet, comme d'autres intellectuels, ceux-ci subissent les séductions nouvelles de la mort : jusqu'à présent, ils avaient surtout retenu de la mort son aspect démographique : la mortalité. Depuis quelques années, plusieurs, sans s'être concertés, ont fait converger

1. P. Ariès, « Les grandes étapes et le sens de l'évolution de nos attitudes devant la mort », Colloque sur l'évolution de l'image de la mort dans la société et le discours religieux des Églises, Strasbourg, oct. 1974; M. Vovelle, « L'état actuel des méthodes et des problèmes et de leur interprétation », *ibid.*; B. Vogler, « Attitudes devant la mort dans les Églises protestantes... », *ibid.*; D. Ligou, « L'évolution des cimetières... », *ibid.* Ces communications sont à paraître dans les *Archives des sciences sociales des religions* (CNRS), nº 1, 1975.

leurs recherches sur l'attitude devant la mort : citons, entre d'autres, M. Vovelle, F. Lebrun, P. Chaunu, E. Le Roy Ladurie... Quelques-uns étaient à Strasbourg. Leur débat n'a pas été sans doute le moment le plus fort du colloque. Son principal enseignement a plutôt porté sur les réactions d'intolérance à cet interdit de la mort qui s'est étendu dans la société postindustrielle depuis une vingtaine d'années (par exemple, le comportement actuel des vieillards étudié par Hélène Reboul). Toutefois, dans cette revue d'historiens et d'historiens en liberté, je retiendrai le problème général de méthode et d'interprétation historique posé par M. Vovelle. Dans l'étude de la mort, M. Vovelle et moi-même nous avons suivi des voies très proches mais indépendantes. Nous cheminons chacun de notre côté, sûrs de nous rencontrer aux carrefours, et alors nous nous interrogeons sur les raisons de nos temporaires divergences. L'un et l'autre, nous pensons que la mort a changé, et a changé plusieurs fois, que la mission des historiens est de situer ces changements et, entre ces changements, les longues périodes d'immobilité structurale. Dans ce but, ils doivent rassembler un ample corpus de données de toutes sortes, qu'il faut compter quand on le peut, comparer, organiser et, après, interpréter. La différence qui nous sépare parfois apparaît, non pas dans la méthode, mais dans la nature générale de l'interprétation, telle qu'elle se traduit spontanément dans nos périodisations. J'ai tendance à dévaluer l'influence des systèmes religieux et culturels : ni la Renaissance, ni les Lumières n'apparaissent dans ma périodisation comme des pics décisifs. L'Église m'intéresse plutôt comme indicateur et révélateur de sentiments inaperçus que comme groupe de pression qui aurait commandé les sentiments à leurs sources. Selon moi, les grandes dérives qui entraînent les mentalités — attitudes devant la vie et la mort — dépendent de moteurs plus secrets, plus enfouis, à la limite du biologique et du culturel, c'est-à-dire de l'*inconscient collectif*. Il anime des forces psychologiques élémentaires qui sont conscience de soi, désir d'être plus, ou au contraire sens du destin collectif, sociabilité, etc. M. Vovelle admet aussi l'importance de l'inconscient collectif mais il tend à reconnaître, comme il l'a montré dans son beau *Mourir autrefois*, plus de poids sur les mœurs que je n'en ai accordé à ce que nous avons appelé dans notre trop court débat *les idées claires :* doctrines religieuses, philosophies morales et politiques, effets psychologiques des progrès scientifiques et techniques et des systèmes socio-économiques. A Strasbourg, nous avons pu seulement montrer qu'il y avait problème : un problème qui apparaîtra peut-être théorique ou spéculatif! Il détermine en fait la pratique historienne, car comment distinguer les choses, et ensuite les organiser, sans une hypothèse classificatrice? et comment établir cette hypothèse sans une conception d'ensemble, avouée ou non *?

* *Anthinea*, nº 8, août-sept. 1975, p. 3-4.

Table

Les attitudes devant la mort

Itinéraires 1966-1975

COMPOSITION : FIRMIN-DIDOT AU MESNIL
IMPRESSION : MAURY-IMPRIMEUR S.A. A MALESHERBES (3-84)
D.L. 4e TRIM. 1977 – No 4736-4 (B84/14542)

Collection Points

SERIE HISTOIRE

H1. Histoire d'une démocratie : Athènes des origines à la conquête macédonienne, *par Claude Mossé*
H2. Histoire de la pensée européenne 1. L'éveil intellectuel de l'Europe du IXe au XIIe siècle *par Philippe Wolff*
H3. Histoire des populations françaises et de leurs attitudes devant la vie depuis le XVIIIe siècle, *par Philippe Ariès*
H4. Venise, portrait historique d'une cité *par Philippe Braunstein et Robert Delort*
H5. Les Troubadours, *par Henri-Irénée Marrou*
H6. La Révolution industrielle (1780-1880), *par Jean-Pierre Rioux*
H7. Histoire de la pensée européenne 4. Le Siècle des Lumières, *par Norman Hampson*
H8. Histoire de la pensée européenne 3. Des humanistes aux hommes de science, *par Robert Mandrou*
H9. Histoire du Japon et des Japonais 1. Des origines à 1945, *par Edwin O. Reischauer*
H10. Histoire du Japon et des Japonais 2. De 1945 à 1970, *par Edwin O. Reischauer*
H11. Les Causes de la Première Guerre mondiale, *par Jacques Droz*
H12. Introduction à l'histoire de notre temps. L'Ancien Régime et la Révolution, *par René Rémond*
H13. Introduction à l'histoire de notre temps. Le XIXe siècle *par René Rémond*
H14. Introduction à l'histoire de notre temps. Le XXe siècle *par René Rémond*
H15. Photographie et Société, *par Gisèle Freund*
H16. La France de Vichy (1940-1944), *par Robert O. Paxton*
H17. Société et Civilisation russes au XIXe siècle, *par C. de Grunwald*
H18. La Tragédie de Cronstadt (1921), *par Paul Avrich*
H19. La Révolution industrielle du Moyen Age, *par Jean Gimpel*
H20. L'Enfant et la Vie familiale sous l'Ancien Régime *par Philippe Ariès*
H21. De la connaissance historique, *par Henri-Irénée Marrou*
H22. Malraux, une vie dans le siècle, *par Jean Lacouture*
H23. Le Rapport Khrouchtchev et son histoire, *par Branko Lazitch*
H24. Le Mouvement paysan chinois (1840-1949), *par Jean Chesneaux*
H25. Les Misérables dans l'Occident médiéval *par Jean-Louis Goglin*
H26. La Gauche en France depuis 1900, *par Jean Touchard*

H27. Histoire de l'Italie du Risorgimento à nos jours
par Sergio Romano
H28. Genèse médiévale de la France moderne, XIVe - XVe siècle
par Michel Mollat
H29. Décadence romaine ou Antiquité tardive ? IIIe - VIe siècle
par Henri-Irénée Marrou
H30. Carthage ou l'Empire de la mer, *par François Decret*
H31. Essais sur l'histoire de la mort en Occident du Moyen Age
à nos jours, *par Philippe Ariès*
H32. Le Gaullisme (1940-1969), *par Jean Touchard*
H33. Grenadou, paysan français
par Ephraïm Grenadou et Alain Prévost
H34. Piété baroque et Déchristianisation en Provence au XVIIIe siècle
par Michel Vovelle
H35. Histoire générale de l'Empire romain
1. Le Haut-Empire, *par Paul Petit*
H36. Histoire générale de l'Empire romain
2. La crise de l'Empire, *par Paul Petit*
H37. Histoire générale de l'Empire romain
3. Le Bas-Empire, *par Paul Petit*
H38. Pour en finir avec le Moyen Age, *par Régine Pernoud*
H39. La Question nazie, *par Pierre Ayçoberry*
H40. Comment on écrit l'histoire, *par Paul Veyne*
H41. Les Sans-culottes, *par Albert Soboul*
H42. Léon Blum, *par Jean Lacouture*
H43. Les Collaborateurs (1940-1945), *par Pascal Ory*
H44. Le Fascisme italien (1919-1945)
par Pierre Milza et Serge Berstein
H45. Comprendre la Révolution russe, *par Martin Malia*
H46. Histoire de la pensée européenne
6. L'ère des masses, *par Michael D. Biddiss*
H47. Naissance de la famille moderne, *par Edward Shorter*
H48. Mythe de la procréation à l'âge baroque, *par Pierre Darmon*
H49. Histoire de la bourgeoisie en France
1. Des origines aux temps modernes, *par Régine Pernoud*
H50. Histoire de la bourgeoisie en France
2. Les temps modernes, *par Régine Pernoud*
H51. Histoire des passions françaises (1848-1945)
1. Ambition et amour, *par Theodore Zeldin*
H52. Histoire des passions françaises (1848-1945)
2. Orgueil et intelligence, *par Theodore Zeldin*
H53. Histoire des passions françaises (1848-1945)
3. Goût et corruption, *par Theodore Zeldin*
H54. Histoire des passions françaises (1848-1945)
4. Colère et politique, *par Theodore Zeldin*

H55. Histoire des passions françaises (1848-1945)
5. Anxiété et hypocrisie, *par Theodore Zeldin*

H56. Histoire de l'éducation dans l'Antiquité
1. Le monde grec, *par Henri-Irénée Marrou*

H57. Histoire de l'éducation dans l'Antiquité
2. Le monde romain, *par Henri-Irénée Marrou*

H58. La Faillite du Cartel, 1924-1926
(Leçon d'histoire pour une gauche au pouvoir)
par Jean-Noël Jeanneney

H59. Les Porteurs de valises
par Hervé Hamon et Patrick Rotman

H60. Histoire de la guerre d'Algérie (1954-1962)
par Bernard Droz et Evelyne Lever

H61. Les Occidentaux, *par Alfred Grosser*

H62. La vie au Moyen Age, *par Robert Delort*

H63. Politique étrangère de la France (La Décadence 1932-1939)
par Jean-Baptiste Duroselle

H64. Histoire de la guerre froide
1. De la révolution d'Octobre à la guerre de Corée, 1917-1950
par André Fontaine

H65. Histoire de la guerre froide
2. De la guerre de Corée à la crise des alliances, 1950-1963
par André Fontaine

H66. Les Incas, *par Alfred Métraux*

H67. Les Ecoles historiques, *par Guy Bourdé et Hervé Martin*

H68. Le Nationalisme français, 1871-1914, *par Raoul Girardet*

H69. La Droite révolutionnaire, 1885-1914
par Zeev Sternhell

H70. L'Argent caché, *par Jean-Noël Jeanneney*

H71. Histoire économique de la France du XVIIIe siècle à nos jours
1. De l'Ancien Régime à la Première Guerre mondiale
par Jean-Charles Asselain

H72. Histoire économique de la France du XVIIIe siècle à nos jours
2. De 1919 à la fin des années 1970
par Jean-Charles Asselain

H73. La Vie politique sous la IIIe République
par Jean-Marie Mayeur

Nouvelle histoire de la France contemporaine

H101. La Chute de la monarchie (1787-1792), *par Michel Vovelle*
H102. La République jacobine (1792-1794), *par Marc Bouloiseau*
H103. La République bourgeoise de Thermidor à Brumaire (1794-1799) *par Denis Woronoff*
H104. L'Episode napoléonien (1799-1815). Aspects intérieurs *par Louis Bergeron*
H105. L'Episode napoléonien (1799-1815). Aspects extérieurs *par J. Lovie et A. Palluel-Guillard*
H106. La France des notables (1815-1848). L'évolution générale *par André Jardin et André-Jean Tudesq*
H107 La France des notables (1815-1848). La vie de la nation *par André Jardin et André-Jean Tudesq*
H108. 1848 ou l'Apprentissage de la République (1848-1852) *par Maurice Agulhon*
H109. De la fête impériale au mur des fédérés (1852-1871) *par Alain Plessis*
H110. Les Débuts de la Troisième République (1871-1898) *par Jean-Marie Mayeur*
H111. La République radicale ? (1898-1914) *par Madeleine Rebérioux*
H112. La Fin d'un monde (1914-1929), *par Philippe Bernard*
H113. Le Déclin de la Troisième République (1929-1938) *par Henri Dubief*
H114. De Munich à la Libération (1938-1944) *par Jean-Pierre Azéma*
H115. La France de la Quatrième République (1944-1958) 1. L'ardeur et la nécessité (1944-1952), *par Jean-Pierre Rioux*
H116. La France de la Quatrième République (1944-1958) 2. L'expansion et l'impuissance (1952-1958) *par Jean-Pierre Rioux*

Collection Points

1. Histoire du surréalisme, *par Maurice Nadeau*
2. Une théorie scientifique de la culture *par Bronislaw Malinowski*
3. Malraux, Camus, Sartre, Bernanos, *par Emmanuel Mounier*
4. L'Homme unidimensionnel, *par Herbert Marcuse* (épuisé)
5. Ecrits I, *par Jacques Lacan*
6. Le Phénomène humain, *par Pierre Teilhard de Chardin*
7. Les Cols blancs, *par C. Wright Mills*
8. Stendhal, Flaubert, *par Jean-Pierre Richard*
9. La Nature dé-naturée, *par Jean Dorst*
10. Mythologies, *par Roland Barthes*
11. Le Nouveau Théâtre américain, *par Franck Jotterand* (épuisé)
12. Morphologie du conte, *par Vladimir Propp*
13. L'Action sociale, *par Guy Rocher*
14. L'Organisation sociale, *par Guy Rocher*
15. Le Changement social, *par Guy Rocher*
16. Les Etapes de la croissance économique, *par W. W. Rostow*
17. Essais de linguistique générale, *par Roman Jakobson* (épuisé)
18. La Philosophie critique de l'histoire, *par Raymond Aron*
19. Essais de sociologie, *par Marcel Mauss*
20. La Part maudite, *par Georges Bataille* (épuisé)
21. Ecrits II, *par Jacques Lacan*
22. Eros et Civilisation, *par Herbert Marcuse* (épuisé)
23. Histoire du roman français depuis 1918 *par Claude-Edmonde Magny*
24. L'Ecriture et l'Expérience des limites, *par Philippe Sollers*
25. La Charte d'Athènes, *par Le Corbusier*
26. Peau noire, Masques blancs, *par Frantz Fanon*
27. Anthropologie, *par Edward Sapir*
28. Le Phénomène bureaucratique, *par Michel Crozier*
29. Vers une civilisation du loisir ?, *par Joffre Dumazedier*
30. Pour une bibliothèque scientifique, *par François Russo* (épuisé)
31. Lecture de Brecht, *par Bernard Dort*
32. Ville et Révolution, *par Anatole Kopp*
33. Mise en scène de Phèdre, *par Jean-Louis Barrault*
34. Les Stars, *par Edgar Morin*
35. Le Degré zéro de l'écriture, *suivi de* Nouveaux Essais critiques *par Roland Barthes*
36. Libérer l'avenir, *par Ivan Illich*
37. Structure et Fonction dans la société primitive *par A. R. Radcliffe-Brown*
38. Les Droits de l'écrivain, *par Alexandre Soljénitsyne*

39. Le Retour du tragique, *par Jean-Marie Domenach*
41. La Concurrence capitaliste
par Jean Cartell et Pierre-Yves Cossé (épuisé)
42. Mise en scène d'Othello, *par Constantin Stanislavski*
43. Le Hasard et la Nécessité, *par Jacques Monod*
44. Le Structuralisme en linguistique, *par Oswald Ducrot*
45. Le Structuralisme : Poétique, *par Tzvetan Todorov*
46. Le Structuralisme en anthropologie, *par Dan Sperber*
47. Le Structuralisme en psychanalyse, *par Moustafa Safouan*
48. Le Structuralisme : Philosophie, *par François Wahl*
49. Le Cas Dominique, *par Françoise Dolto*
51. Trois Essais sur le comportement animal et humain
par Konrad Lorenz
52. Le Droit à la ville, *suivi de* Espace et Politique
par Henri Lefebvre
53. Poèmes, *par Léopold Sédar Senghor*
54. Les Elégies de Duino, *suivi de* les Sonnets à Orphée
par Rainer Maria Rilke (édition bilingue)
55. Pour la sociologie, *par Alain Touraine*
56. Traité du caractère, *par Emmanuel Mounier*
57. L'Enfant, sa «maladie» et les autres, *par Maud Mannoni*
58. Langage et Connaissance, *par Adam Schaff*
59. Une saison au Congo, *par Aimé Césaire*
61. Psychanalyser, *par Serge Leclaire*
63. Mort de la famille, *par David Cooper*
64. A quoi sert la Bourse ?, *par Jean-Claude Leconte* (épuisé)
65. La Convivialité, *par Ivan Illich*
66. L'Idéologie structuraliste, *par Henri Lefebvre*
67. La Vérité des prix, *par Hubert Lévy-Lambert* (épuisé)
68. Pour Gramsci, *par Maria-Antonietta Macciocchi*
69. Psychanalyse et Pédiatrie, *par Françoise Dolto*
70. S/Z, *par Roland Barthes*
71. Poésie et Profondeur, *par Jean-Pierre Richard*
72. Le Sauvage et l'Ordinateur, *par Jean-Marie Domenach*
73. Introduction à la littérature fantastique
par Tzvetan Todorov
74. Figures I, *par Gérard Genette*
75. Dix Grandes Notions de la sociologie, *par Jean Cazeneuve*
76. Mary Barnes, un voyage à travers la folie
par Mary Barnes et Joseph Berke
77. L'Homme et la Mort, *par Edgar Morin*
78. Poétique du récit, *par Roland Barthes, Wayne Booth*
Philippe Hamon et Wolfgang Kayser
79. Les Libérateurs de l'amour, *par Alexandrian*
80. Le Macroscope, *par Joël de Rosnay*

81. Délivrance, *par Maurice Clavel et Philippe Sollers*
82. Système de la peinture, *par Marcelin Pleynet*
83. Pour comprendre les média, *par M. McLuhan*
84. L'Invasion pharmaceutique
par Jean-Pierre Dupuy et Serge Karsenty
85. Huit Questions de poétique, *par Roman Jakobson*
86. Lectures du désir, *par Raymond Jean*
87. Le Traître, *par André Gorz*
88. Psychiatrie et Anti-Psychiatrie, *par David Cooper*
89. La Dimension cachée, *par Edward T. Hall*
90. Les Vivants et la Mort, *par Jean Ziegler*
91. L'Unité de l'homme, *par le Centre Royaumont*
1. Le primate et l'homme, *par E. Morin et M. Piattelli-Palmarini*
92. L'Unité de l'homme, *par le Centre Royaumont*
2. Le cerveau humain, *par E. Morin et M. Piattelli-Palmarini*
93. L'Unité de l'homme, *par le Centre Royaumont*
3. Pour une anthropologie fondamentale
par E. Morin et M. Piattelli-Palmarini
94. Pensées, *par Blaise Pascal*
95. L'Exil intérieur, *par Roland Jaccard*
96. Semeiotiké, recherches pour une sémanalyse
par Julia Kristeva
97. Sur Racine, *par Roland Barthes*
98. Structures syntaxiques, *par Noam Chomsky*
99. Le Psychiatre, son «fou» et la psychanalyse
par Maud Mannoni
100. L'Ecriture et la Différence, *par Jacques Derrida*
101. Le Pouvoir africain, *par Jean Ziegler*
102. Une logique de la communication
par P. Watzlawick, J. Helmick Beavin, Don D. Jackson
103. Sémantique de la poésie, *T. Todorov, W. Empson*
J. Cohen, G. Hartman et F. Rigolot
104. De la France, *par Maria-Antonietta Macciocchi*
105. Small is beautiful, *par E. F. Schumacher*
106. Figures II, *par Gérard Genette*
107. L'Œuvre ouverte, *par Umberto Eco*
108. L'Urbanisme, *par Françoise Choay*
109. Le Paradigme perdu, *par Edgar Morin*
110. Dictionnaire encyclopédique des sciences du langage
par Oswald Ducrot et Tzvetan Todorov
111. L'Evangile au risque de la psychanalyse (tome 1)
par Françoise Dolto
112. Un enfant dans l'asile, *par Jean Sandretto*
113. Recherche de Proust, *ouvrage collectif*
114. La Question homosexuelle, *par Marc Oraison*

115. De la psychose paranoïaque dans ses rapports avec la personnalité, *par Jacques Lacan*
116. Sade, Fourier, Loyola, *par Roland Barthes*
117. Une société sans école, *par Ivan Illich*
118. Mauvaises Pensées d'un travailleur social *par Jean Marie Geng*
119. Albert Camus, *par Herbert R. Lottman*
120. Poétique de la prose, *par Tzvetan Todorov*
121. Théorie d'ensemble, *par Tel Quel*
122. Némésis médicale, *par Ivan Illich*
123. La Méthode
 1. La Nature de la Nature, *par Edgar Morin*
124. Le Désir et la Perversion, *ouvrage collectif*
125. Le langage, cet inconnu, *par Julia Kristeva*
126. On tue un enfant, *par Serge Leclaire*
127. Essais critiques, *par Roland Barthes*
128. Le Je-ne-sais-quoi et le Presque-rien
 1. La manière et l'occasion, *par Vladimir Jankélévitch*
129. L'Analyse structurale du récit, Communications 8 *ouvrage collectif*
130. Changements, Paradoxes et Psychothérapie *par P. Watzlawick, J. Weakland et R. Fisch*
131. Onze Etudes sur la poésie moderne *par Jean-Pierre Richard*
132. L'Enfant arriéré et sa mère, *par Maud Mannoni*
133. La Prairie perdue (Le roman américain) *par Jacques Cabau*
134. Le Je-ne-sais-quoi et le Presque-rien
 2. La méconnaissance, *par Vladimir Jankélévitch*
135. Le Plaisir du texte, *par Roland Barthes*
136. La Nouvelle Communication, *ouvrage collectif*
137. Le Vif du sujet, *par Edgar Morin*
138. Théories du langage, théories de l'apprentissage *par le Centre Royaumont*
139. Baudelaire, la Femme et Dieu *par Pierre Emmanuel*
140. Autisme et Psychose de l'enfant, *par Frances Tustin*
141. Le Harem et les Cousins, *par Germaine Tillion*
142. Littérature et Réalité, *ouvrage collectif*
143. La Rumeur d'Orléans, *par Edgar Morin*
144. Partage des femmes, *par Eugénie Lemoine-Luccioni*
145. L'Evangile au risque de la psychanalyse (tome 2) *par Françoise Dolto*
146. Rhétorique générale, *par le Groupe μ*
147. Système de la Mode, *par Roland Barthes*

148. Démasquer le réel, *par Serge Leclaire*
149. Le Juif imaginaire, *par Alain Finkielkraut*
150. Travail de Flaubert, *ouvrage collectif*
151. Journal de Californie, *par Edgar Morin*
152. Pouvoirs de l'horreur, *par Julia Kristeva*
153. Introduction à la philosophie de l'histoire de Hegel *par Jean Hyppolite*
154. La Foi au risque de la psychanalyse *par Françoise Dolto et Gérard Sévérin*
155. Un lieu pour vivre, *par Maud Mannoni*
156. Scandale de la vérité, *suivi de* Nous autres Français, *par Georges Bernanos*
157. Enquête sur les idées contemporaines *par Jean-Marie Domenach*
158. L'Affaire Jésus, *par Henri Guillemin*
159. Paroles d'étranger, *par Elie Wiesel*
160. Le Langage silencieux, *par Edward T. Hall*
161. La Rive gauche, *par Herbert R. Lottman*
162. La Réalité de la réalité, *par Paul Watzlawick*

SERIE SCIENCES

dirigée par Jean-Marc Lévy-Leblond

S1. La Recherche en biologie moléculaire, *ouvrage collectif*
S2. Des astres, de la vie et des hommes, *par Robert Jastrow*
S3. Autocritique de la science
par Alain Jaubert et Jean-Marc Lévy-Leblond
S4. Le Dossier électronucléaire
par le syndicat CFDT de l'Energie atomique
S5. Une révolution dans les sciences de la Terre, *par A. Hallam*
S6. Jeux avec l'infini, *par Rozsa Péter*
S7. La Recherche en astrophysique, *ouvrage collectif*
S8. La Recherche en neurobiologie, *ouvrage collectif*
S9. La Science chinoise et l'Occident, *par Joseph Needham*
S10. Les Origines de la vie, *par Joël de Rosnay*
S11. Echec et Maths, *par Stella Baruk*
S12. L'Oreille et le Langage, *par Alexandre Tomatis*
S13. Les Energies du Soleil, *par Pierre Audibert*
en collaboration avec Danielle Rouard
S14. Cosmic Connection ou l'appel des étoiles, *par Carl Sagan*
S15. Les Ingénieurs de la Renaissance, *par Bertrand Gille*
S16. La Vie de la cellule à l'homme, *par Max de Ceccatty*
S17. La Recherche en éthologie, *ouvrage collectif*
S18. Le Darwinisme aujourd'hui, *ouvrage collectif*
S19. Einstein, créateur et rebelle, *par Banesh Hoffmann*
S20. Les Trois Premières Minutes de l'Univers
par Steven Weinberg
S21. Les Nombres et leurs Mystères, *par André Warusfel*
S22. La Recherche sur les énergies nouvelles, *ouvrage collectif*
S23. La Nature de la physique, *par Richard Feynman*
S24. La Matière aujourd'hui, *par Emile Noël et al.*
S25. La Recherche sur les grandes maladies, *ouvrage collectif*
S26. L'Etrange Histoire des Quanta
par Banesh Hoffmann, Michel Paty
S27. Eloge de la différence, *par Albert Jacquard*
S28. La Lumière, *par Bernard Maitte*
S29. Penser les mathématiques, *ouvrage collectif*
S30. La Recherche sur le cancer, *ouvrage collectif*
S31. L'Energie verte, *par Laurent Piermont*
S32. Naissance de l'Homme, *par Robert Clarke*
S33. Recherche et Technologie, *Actes du Colloque national*
S34. La Recherche en physique nucléaire, *ouvrage collectif*
S35. Marie Curie, *par Robert Reid*
S36. L'Espace et le Temps aujourd'hui, *ouvrage collectif*

S37. La Recherche en histoire des sciences, *ouvrage collectif*
S38. Petite logique des forces, *par Paul Sandori*
S39. L'Esprit de sel, *par Jean-Marc Lévy-Leblond*
S40. Le Dossier de l'énergie
par le Groupe confédéral énergie de la CFDT

SERIE ACTUELS

A1. Lettres de prison, *par Gabrielle Russier*
A2. J'étais un drogué, *par Guy Champagne*
A3. Les Dossiers noirs de la police française, *par Denis Langlois*
A4. Do It, *par Jerry Rubin*
A5. Les Industriels de la fraude fiscale, *par Jean Cosson*
A6. Entretiens avec Allende, *par Régis Debray* (épuisé)
A7. De la Chine, *par Maria-Antonietta Macciocchi*
A8. Après la drogue, *par Guy Champagne*
A9. Les Grandes Manœuvres de l'opium
par Catherine Lamour et Michel Lamberti
A10. Les Dossiers noirs de la justice française, *par Denis Langlois*
A11. Le Dossier confidentiel de l'euthanasie
par Igor Barrère et Etienne Lalou
A12. Discours américains, *par Alexandre Soljénitsyne*
A13. Les Exclus, *par René Lenoir*
A14. Souvenirs obscurs d'un Juif polonais né en France
par Pierre Goldman
A15. Le Mandarin aux pieds nus, *par Alexandre Minkowski*
A16. Une Suisse au-dessus de tout soupçon, *par Jean Ziegler*
A17. La Fabrication des mâles
par Georges Falconnet et Nadine Lefaucheur
A18. Rock babies, *par Raoul Hoffmann et Jean-Marie Leduc*
A19. La nostalgie n'est plus ce qu'elle était, *par Simone Signoret*
A20. L'Allergie au travail, *par Jean Rousselet*
A21. Deuxième Retour de Chine
par Claudie et Jacques Broyelle et Evelyne Tschirhart
A22. Je suis comme une truie qui doute, *par Claude Duneton*
A23. Travailler deux heures par jour, *par Adret*
A24. Le rugby, c'est un monde, *par Jean Lacouture*
A25. La Plus Haute des solitudes, *par Tahar Ben Jelloun*
A26. Le Nouveau Désordre amoureux
par Pascal Bruckner et Alain Finkielkraut

A27. Voyage inachevé, *par Yehudi Menuhin*
A28. Le communisme est-il soluble dans l'alcool ?
par Antoine et Philippe Meyer
A29. Sciences de la vie et Société
par François Gros, François Jacob et Pierre Royer
A30. Anti-manuel de français
par Claude Duneton et Jean-Pierre Pagliano
A31. Cet enfant qui se drogue, c'est le mien, *par Jacques Guillon*
A32. Les Femmes, la Pornographie, l'Erotisme
par Marie-Françoise Hans et Gilles Lapouge
A33. Parole d'homme, *par Roger Garaudy*
A34. Nouveau Guide des médicaments, *par le Dr Henri Pradal*
A35. Rue du Prolétaire rouge, *par Nina et Jean Kéhayan*
A36. Main basse sur l'Afrique, *par Jean Ziegler*
A37. Un voyage vers l'Asie, *par Jean-Claude Guillebaud*
A38. Appel aux vivants, *par Roger Garaudy*
A39. Quand vient le souvenir, *par Saul Friedländer*
A40. La Marijuana, *par Solomon H. Snyder*
A41. Un lit à soi, *par Evelyne Le Garrec*
A42. Le lendemain, elle était souriante...
par Simone Signoret
A43. La Volonté de guérir, *par Norman Cousins*
A44. Les Nouvelles Sectes, *par Alain Woodrow*
A45. Cent Ans de chanson française
par Chantal Brunschwig, Louis-Jean Calvet et Jean-Claude Klein
A46. La Malbouffe, *par Stella et Joël de Rosnay*
A47. Médecin de la liberté, *par Paul Milliez*
A48. Un Juif pas très catholique, *par Alexandre Minkowski*
A49. Un voyage en Océanie, *par Jean-Claude Guillebaud*
A50. Au coin de la rue, l'aventure
par Pascal Bruckner et Alain Finkielkraut
A51. John Reed, *par Robert Rosenstone*
A52. Le Tabouret de Piotr, *par Jean Kéhayan*
A53. Le temps qui tue, le temps qui guérit
par le Dr Fernand Attali
A54. La Lumière médicale, *par Norbert Bensaïd*
A55. Californie (Le Nouvel Age)
par Sylvie Crossman et Edouard Fenwick
A56. La Politique du mâle, *par Kate Millett*
A57. Contraception, grossesse, IVG
par Pierrette Bello, Catherine Dolto et Aline Schiffmann
A58. Marthe, *anonyme*
A59. Pour un nouveau-né sans risque, *par Alexandre Minkowski*
A60. La Vie, tu parles, *par Libération*
A61. Les Bons Vins et les autres, *par Pierre-Marie Doutrelant*